Son casque d'or et d'argent est surmonté
d'une crête de plumes couleur de feu.
Son glaive est couvert
d'un si grand nombre de pierreries
qu'à peine on voit l'or
dans lequel elles sont enchâssées.
Empereur romain pour l'occasion,
le Roi-Soleil monte un cheval
empanaché de plumes
et harnaché d'aigles d'or,
un cheval
qu'on nomme Bucéphale,
comme celui d'Alexandre le Grand...

Monsieur, frère du roi,
conduisant le quadrille des Persans,
le prince de Condé, celui des Turcs,
le duc d'Enghien, celui des Indiens
et le duc de Guise, celui des Américains,
rendent les honneurs au pouvoir romain

et reconnaissent ainsi
leur légitime asservissement.
Les Grands du royaume sont tous là
pour célébrer leur propre déclin
que Louis met en scène,
à l'aurore de son règne.

«Ce fut là, dit plus tard le roi à son fils,
que je commençai à prendre l'image du soleil
que j'ai toujours gardée depuis,
et que vous voyez en tant de lieux.
Je crus que, sans s'arrêter
à quelque chose de particulier
et de moindre, elle devait
représenter en quelque sorte
les devoirs d'un prince,
et m'exciter éternellement
moi-même à les remplir.
On choisit pour corps
le soleil qui, dans les
règles de cet art,
est le plus noble
de tous, et qui,
par la qualité

d'unique, par l'éclat qui l'environne, par la lumière qu'il communique aux autres astres qui lui composent comme une espèce de cour, par le partage égal et juste qu'il fait de cette même lumière à tous les divers climats du monde, par le bien qu'il fait en tous lieux, produisant sans cesse de tous côtés la vie, la joie et l'action, par son mouvement sans relâche, où il paraît néanmoins toujours tranquille, par cette course constante et invariable, dont il ne s'écarte et ne se détourne jamais, est assurément la plus vive et la plus belle image d'un grand monarque.»

SOMMAIRE

LES MIROIRS DU SOLEIL
LE ROI LOUIS XIV ET SES ARTISTES

Christian Biet

DÉCOUVERTES GALLIMARD
LITTÉRATURE

10 mars 1661. Le jeune roi convoque, dans la Chambre de la Reine Mère, où les conseils se tiennent habituellement, les princes, les ducs et les ministres d'État. Dans un silence respectueux, on entend alors le monarque de vingt-trois ans annoncer sa résolution de commander lui-même son État. Stupeur et chuchotements. Le règne des ministres s'évanouit-il brutalement ? Est-ce un caprice de jeune homme ? Le caprice durera cinquante-quatre ans...

CHAPITRE PREMIER

LES CONDITIONS DE LA PRISE DU POUVOIR

« Le croira-t-on ? Il était né bon et juste, et Dieu lui en avait assez donné pour être un bon roi, et peut-être même un assez grand roi... »
Saint-Simon, *Mémoires*

La fin des années Fouquet (1654-1661) : une clientèle d'auteurs doit se reconvertir

Après vingt-quatre années de guerre avec l'Espagne, le traité des Pyrénées (7 novembre 1659) a mis fin aux souffrances du pays. Mazarin, en rendant à Louis XIV le service de mourir en pleine paix (le 9 mars 1661), permet au peuple d'espérer en une longue période de stabilité. La France est vaste, peuplée, forte et bien protégée, mais au bord de la banqueroute : il faut toute l'habileté

du surintendant Fouquet pour chercher dans les expédients les plus divers l'argent nécessaire à la survie de l'État. Face à l'incroyable fortune du Cardinal expirant, la France est en haillons : la fabuleuse richesse d'un seul, affirment certains, ne serait pas étrangère aux difficultés de tout un peuple...

Le Louvre est encore, au début des années 1660, un château royal fait de toutes sortes de pièces disjointes. Les immeubles les plus variés y voisinent avec le véritable palais, avant que Louis le Grand ne fasse reprendre la colonnade. Sur ce tableau (*Vue de Paris sur l'île de la Cité et le Pont-Neuf, prise depuis la tour de Nesle*, on peut voir comment, vers 1650, l'enchevêtrement des maisons côtoie la majesté de la partie sud du bâtiment (à droite). Face au Louvre, on travaille, on commerce, on s'agite, tandis que, dans les jardins royaux, et de préférence loin de Paris, à Saint-Germain, à Chambord, à Fontainebleau ou dans le parc de Versailles, le roi chasse et danse. Les iconographies qui le représentent en prennent bonne note, comme celle le montrant à cheval, ou celle qui le peint en *Apollon tirant le serpent Python*, (pages précédente) esquissant un pas, tenant un arc de théâtre pour tuer tous les monstres qui menacent la couronne dont, évidemment, les hérétiques...

Cependant, l'Artois, l'Alsace et le Roussillon sont rattachés à la Couronne, et les autres puissances européennes ont admis de gré ou de force sa prépondérance : «La paix, comme le dit Louis XIV dans ses mémoires, était établie avec mes voisins, vraisemblablement pour aussi longtemps que je le voudrais moi-même.»

Le roi est jeune, infatigable travailleur, on le sait déjà autoritaire, quelque peu folâtre, bien fait de sa personne, et quelques-unes de ses déclarations habiles, soutenues par les célébrations éloquentes d'écrivains triés sur le volet, soutiennent l'espoir que les Français mettent en lui.

Plus d'autre cour que la Cour

Louis conserve un temps trois ministres de Mazarin : le surintendant des Finances, Fouquet, alias «l'Écureuil», le secrétaire d'État de la Guerre, Le Tellier, dit «le Lézard», et le diplomate Hugues de Lionne. Mais très vite, il se méfie des financiers et des hommes trop puissants, et Fouquet est l'un et l'autre. Les fêtes somptueuses qu'il donne en son superbe château de Vaux-le-Vicomte, le salon brillant de sa femme, son influence de mécène des lettres et des arts n'arrangent rien. Attaqué par les intrigants du parti de Colbert, les ennemis de longue date et les anciens frondeurs, il est arrêté, jugé, implacablement emprisonné pour avoir déplu au roi et au tout nouveau ministre, son ambitieux remplaçant, Colbert.

Fidèle intendant et zélé complice de Mazarin, Jean-Baptiste Colbert, «la Couleuvre», comme on le nomme d'après ses armoiries rémoises et l'étymologie de son nom, veut profiter de la reprise

Entre Colbert, alias La Couleuvre (à gauche) et Fouquet, l'écureuil (à droite), la guerre éclate, en particulier autour d'un château somptueux, le château de Vaux-le-Vicomte, que Fouquet a fait construire (ci-dessous, perspective). Fouquet y réunit sa cour, en mécène privé, joue sur l'abondance de l'argent, pour lui et pour le pays, se répand en dépenses et menace l'autorité royale. Colbert, en serviteur zélé, réagira, en convainquant Louis d'emprisonner Fouquet.

en main du royaume par Louis XIV pour instaurer un nouvel ordre dans l'administration, faire oublier un passé gênant qui le lie au Cardinal, enfin installer son empire financier — sur la ruine des autres.

Se démettre ou se soumettre

Les écrivains et les artistes n'ont plus d'autre choix que de se soumettre, tant la répression frappe tous les tenants de l'Écureuil tombé. Les désastres financiers des traitants ou leur disgrâce, quand il n'est pas question d'arrestation ou d'exécution, frappent Saint-Évremond, qui doit s'enfuir, La Rochefoucauld, dont le nom est évoqué au procès du surintendant, Pélisson, qu'on voit un moment en prison, La Fontaine, tout dévoué à son ancien maître. Avec le futur auteur des *Contes,* Le Brun, Le Vau, Le Nôtre, doivent changer de protecteur :

c'est la fin du cénacle que le surintendant avait patiemment constitué depuis 1653.

Mme de Sévigné, Mlle de Scudéry, La Fontaine, Ménage n'y pourront rien : Fouquet reste emprisonné à Pignerol, tout près du Piémont, dans une petite geôle, et les interventions du vieux Ménage ne servent qu'à le faire rayer de la liste des pensions. Et Fouquet mourra là-bas, en mars 1680...

Peu à peu, les mécènes privés s'affaiblissent sans pour autant disparaître. Seule la cour de Condé, à Chantilly, soutient maintenant la comparaison avec le mécénat royal, en aidant Molière contre les dévots, en protégeant Boileau et en intervenant aux côtés de Racine dans la querelle de *Phèdre*. Les mécontents qui se regroupent à l'Hôtel de Nevers sont la cible des attaques colbertistes et royales : on s'émeut, mais on cède, et on maugrée contre ce mot

Le chancelier Pierre Séguier (ci-dessous), grand commis de l'Etat, instruit le procès Fouquet et rédige une partie du Code Louis. Il est aussi un protecteur exemplaire des arts et des lettres.

du roi, qu'on affirme authentique : «Je sais qu'on ne m'aime pas, mais je ne m'en soucie pas, car je veux régner par la crainte.»

Les auteurs sous le joug de Colbert et de Chapelain

Nouveau mécène travaillant pour le compte d'un nouvel Auguste, celui qu'on appelle «le Maquereau royal» (parce qu'il favorise avec efficacité et diligence les conquêtes féminines de son suzerain), se charge de rappeler aux écrivains que leur premier devoir est de chanter la gloire du roi. L'heure est au mécénat d'État.

Les écrivains officiels ont pour rôle d'attirer les anciens protégés des financiers, de gré ou de force. Chapelain joue ce rôle pour Colbert, avec constance, docilité et efficacité : les écrivains satiriques ne le lui pardonneront pas.

Unis dans leur haine des financiers, les deux hommes recrutent Charles Perrault (auteur de pièces galantes qui devient vite le premier commis à la surintendance des Bâtiments, futur homme de confiance du ministre) et deux autres zélateurs inconditionnels du roi et de Colbert : Bourzeis et l'abbé Cassagnes. Par l'odeur alléché, Charpentier rejoint rapidement la Petite Académie. A partir du 3 février 1663, chaque mardi et chaque vendredi, on se voit, on fait et on défait les carrières, on favorise, on gratifie, on pensionne : on gouverne les Lettres.

Créée autour de Colbert et de Chapelain (ci-dessus) – auteur d'une épopée manquée, *La Pucelle ou la France délivrée*, 1652, et pourtant grande puissance littéraire –, la Petite Académie est une sorte de commission détachée de l'Académie française destinée à rechercher les «moyens de répandre ou de maintenir la Gloire de Sa Majesté». Estampes, pièces de prose et de vers, tapisseries, et surtout médailles sont autant de supports suscités par ce puissant petit groupe pour chanter la majesté du souverain protecteur. La nouveauté n'est alors pas dans la louange qu'on fait du roi, mais dans la ténacité, le suivi, la méticulosité du travail et de sa surveillance. On assiste à une sorte de professionnalisation, de bureaucratisation du travail de propagandiste.

Le charme discret de La Fontaine

Jean de La Fontaine est un de ceux qui, à cause de leur fidélité à Fouquet, ont le plus souffert du dédain du roi et de l'agacement de son ministre.

Plus largement, l'exemple de La Fontaine permet de saisir à la fois les difficultés de carrière que peut rencontrer un écrivain nécessairement lié aux Grands, à cette époque, et la complexité d'un esprit qui oscille, tout à fait sincèrement, entre l'épicurisme, le paganisme, la conversion et la dévotion.

La Fontaine doit, dès 1658, se rendre à l'évidence : les lourdes dettes de son père ne seront épongées que grâce aux protections des puissants. Or à l'époque, le mécénat a pour nom Fouquet. Introduit à la cour de Vaux, le poète y est pensionné et pourvoit aux amusements littéraires du ministre, en composant des ballades, des dizains, une idylle héroïque, *Adonis,* sur les thèmes galants à la mode, le règne de l'amour, la fatalité de la passion et la volupté des élans du cœur. L'arrestation du surintendant lui inspire l'élégie *Aux nymphes de Vaux* et l'*Ode au roi,* qui lui vaudront d'accompagner son oncle par alliance, Jannart, dans son exil à Limoges. Colbert et le roi se méfieront toujours un peu de ce fidèle, cigale pourtant bien négligeable à leurs yeux.

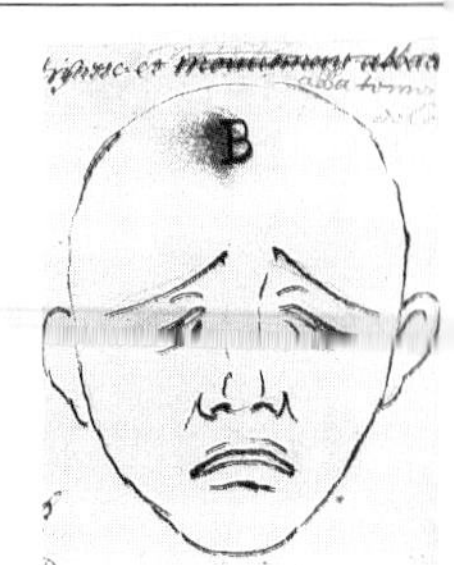

S'inspirant du *Traité des Passions* de Descartes, Charles Le Brun étudie la douleur, la frayeur, l'effroi, et cherche dans le visage des hommes l'apparence de l'animal.

Premiers contes, premières fables, ou : les bonnes fables font les bons amis

Le premier recueil de *Fables choisies mises en vers* (les cent vingt-quatre premières) paraît en 1668.

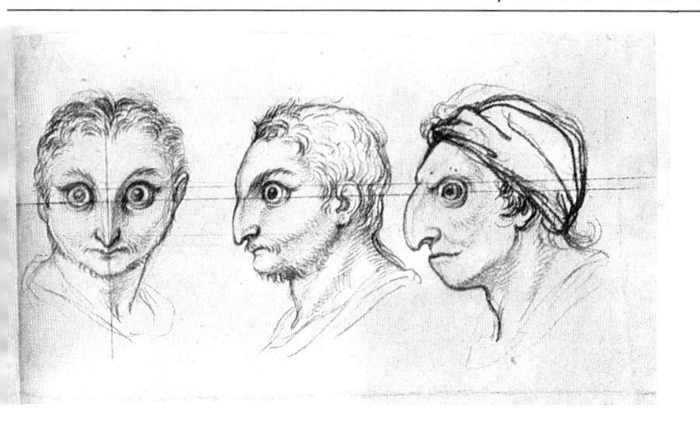

Anobli et fort libre de son temps, La Fontaine (page de gauche) se rend célèbre par ses *Contes et nouvelles en vers* (1664-1674) que Chapelain dit apprécier : pour l'auteur de *la Pucelle,* La Fontaine «a damé le pion à Boccace». «Frivole gracieux», il veut concilier le goût des salons, l'épicurisme mondain, l'humiliation d'être «de plume» et le choix des genres mineurs.

Si les *Contes* licencieux, ou pour le moins légers, ne lui avaient pas attiré toute la faveur souhaitée, les *Fables* couvertes de leur manteau de morale sont un succès. La Rochefoucauld et Condé les adorent. Jusqu'aux jansénistes proches du duc de Liancourt qui les citent avec passion et entreprennent de les faire apprécier à Port-Royal!

Un signe: après le demi-échec de son roman mêlé de vers et de prose, *les Amours de Psyché et de Cupidon*, les jansénistes lui confient la composition d'un *Recueil de poésies chrétiennes et diverses* publié en 1671.

La Fontaine oscille entre son inspiration de fabuliste et de conteur-poète (troisième livre des *Contes* en 1671), et son inspiration chrétienne, tentée par les genres nobles qui magnifient une carrière...

L'auteur des *Fables* et des *Contes* collabore à la traduction de *la Cité de Dieu* du janséniste Louis Giry, en 1664, et en 1674 à celle du *Saint Jérôme* par Arnauld d'Andilly. Il ne se résout pas pour autant à abandonner la grivoiserie et l'anticléricalisme traditionnels, en particulier dans les *Nouveaux Contes,* publiés en Hollande et saisis en France par le lieutenant de police...

A la recherche d'un nouveau mécène

L'année 1672 le renvoie, une fois de plus, aux réalités de l'écrivain d'Ancien Régime : la duchesse douairière d'Orléans meurt

“ Je n'appelle pas gaieté ce qui excite le rire, mais un certain charme, un air agréable, qu'on peut donner à toutes sortes de sujets, même les plus sérieux. ”

Préface au premier recueil de *Gaieté*

laissant son auteur sans toit et sans écus, et c'est Mme de La Sablière qui le recueille, le loge et l'entretient.

Dans cette nouvelle société brillante et lettrée, il écrit le second tome des *Fables* (1678) et convient qu'il est temps de faire sa cour au roi. L'*Ode sur la paix de Nimègue,* une louange à la maîtresse du roi, la si bien décoiffée Mlle de Fontanges, ainsi que la dédicace des *Fables* à Mme de Montespan et à sa sœur font l'affaire. Son succès efface un peu ses erreurs : il se voit représenté dans la «Chambre du Sublime» offerte au duc du Maine pour ses étrennes, en 1675.

Les animaux ne sont pas les «machines aveugles» de Descartes; ils illustrent la continuité de la nature, parfois son opposition aux pratiques humaines. Cependant, les animaux sont en minorité dans les *Fables* : 125 sur 469 personnages. 104 fables sont totalement «animales», 68 «humaines», et 64 mixtes.

Plusieurs siècles de tradition scolaire ont profondément modifié la lecture des *Fables*. En 1668, leur contenu moral ne s'adressait que fort peu aux jeunes gens : la leçon conventionnelle du «Corbeau et le Renard» ou de «La Cigale et la Fourmi» est dépassée par bien d'autres thèmes : faibles asservis par les forts, paysans, hommes de lettres, plaideurs, tous écrasés de dettes, ploient sous les impôts, en butte aux puissants et aux riches peu scrupuleux. Les médecins, les vantards, les éducateurs prêcheurs, peints sous les traits de personnages emblématiques révélateurs des comportements humains, sont enfin les figures de ces récits dont les lecteurs s'amusent fort. Ci-contre, des gravures de Chauveau pour les *Fables choisies* de 1701, représentant, de gauche à droite, en haut : «Le Renard et la Cigogne», «Le Renard et le Buste», «Le Renard et le Bouc»; en bas, «Le Renard et les Raisins», «Le Renard à la queue coupée», «Le Serpent et le Villageois».

La route de l'Académie

Mais être une figurine de cire aux côtés des Boileau, La Rochefoucauld, Racine, Bossuet et Mme de La Fayette, ne suffit pas à lui assurer une élection sans accroc à l'Académie française. En 1684, le roi lui préfère logiquement Boileau, son protégé, pour occuper le siège de Colbert, bien qu'il ait (officiellement) renié ses *Contes*.

L'année suivante, avec l'accord du roi, il est élu et dédie à sa protectrice un discours sur l'esthétique et la morale qu'il défend. Il abandonne les cercles libertins qu'il fréquentait assidûment pour se consacrer aux Incurables, mais revoit souvent la duchesse de Bouillon (qui sombre dans l'affaire des Poisons en 1687), laisse l'un de ses derniers contes à une courtisane et se fâche avec le puissant Lully.

Au cours d'une grave maladie, en 1693, il renonce définitivement et officiellement à la poésie autre que religieuse, sur l'ordre d'un prêtre qui devait lui administrer l'extrême-onction. On croit que sa tragédie lyrique, *l'Astrée*, sera son dernier ouvrage, et pourtant il compose encore quatorze fables (le livre XII, de 1694).

Enfin, il porte un cilice, sans rien dire à personne...

La Bruyère le juge «grossier, lourd, stupide», Corneille en fait un «misérable nourri par la charité». Il paraît, à la fin de sa vie, morne et mélancolique ; on le représente comme l'éternel assoupi aux séances de l'Académie, lui le poète «léger», «étincelant», «virtuose» et «primesautier» que la tradition scolaire retient...

Avec Pascal, les jansénistes contre-attaquent

Qu'on se figure l'entrée tumultueuse d'un homme de trente-cinq ans, brillant, un familier des salons libertins, dans l'arène des luttes religieuses.

Un certain Blaise Pascal, né le 19 juin 1623 à Clermont, qui avait mis, depuis 1651, sa connaissance des mathématiques au service du jeu, en calculant, à la demande du chevalier de Méré, le «problème des partis», ou comment redistribuer les enjeux lorsqu'une partie s'arrête...

Un inventeur et un commerçant qui envoie à Christine de Suède, réputée pour son ouverture d'esprit, une machine arithmétique perfectionnée, dans l'espoir d'obtenir quelques dividendes...

Pour présenter sa machine arithmétique (ci-dessous à gauche), Pascal s'adresse à l'utilisateur dans un *Avis nécessaire à ceux qui auront la curiosité de voir la machine arithmétique, et de s'en servir* (1643). «Ami lecteur, cet avertissement servira pour te faire savoir que j'expose au public cette petite machine de mon invention, par le moyen de laquelle seul tu pourras, sans peine quelconque, faire toutes les opérations de l'arithmétique, et te soulager du travail qui t'a souvent fatigué l'esprit, lorsque tu as opéré par le jeton ou par la plume : je puis, sans présomption, espérer qu'elle ne te déplaira pas après que Monseigneur le Chancelier [Séguier] l'a honorée de son estime, et que, dans Paris, ceux qui sont les mieux versés aux mathématiques ne l'ont pas jugée indigne de leur approbation. [...] Je te prie d'agréer la liberté que je prends d'espérer [...] qu'en approuvant le dessein que j'ai eu de te plaire en te soulageant, tu me sauras gré du soin que j'ai pris pour faire que toutes les opérations, qui par les précédentes méthodes sont pénibles, composées, longues et peu certaines, deviennent faciles, simples, promptes et assurées.»

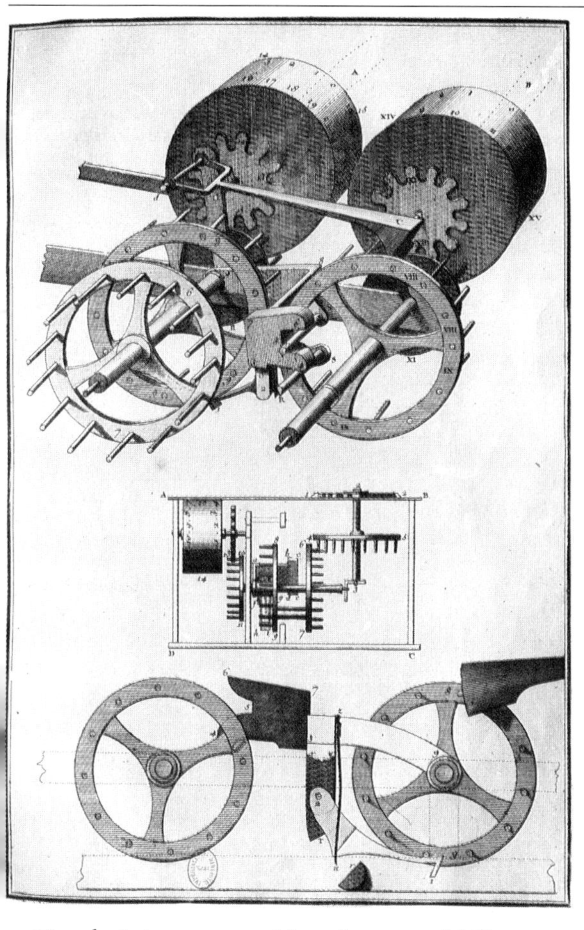

Un administrateur, qui imaginera, en 1662, les transports en commun pour la capitale de la France...

Latin et grec, option mathématiques

On le sait fort savant et enfant prodige, grâce à cette légende hors du commun patiemment constituée par sa sœur : brillant mathématicien, auteur à onze ans d'un *Traité sur la propagation des sons* (1634), capable à douze de comprendre seul les trente-deux

Les études physiques et mathématiques de Pascal le conduisent à reprendre les travaux du Florentin Torricelli et à démontrer l'existence du vide et de la pesanteur de l'air, du haut du Puy-de-Dôme et de la tour de Saint-Jacques-de-la-Boucherie : il écrit un *Traité du vide* en 1647. Dans la préface (rédigée vers 1651) qui nous reste de ce traité, il réfléchit sur la nécessité d'un esprit scientifique nouveau qui permette de rendre compatibles l'autorité due aux Anciens et les exigences d'un nouveau savoir.
Il ne s'agit pas pour lui de les opposer, mais de considérer que la vérité scientifique est «évolutive» : «C'est ainsi que, sans contredire [les Anciens], nous pouvons assurer le contraire de ce qu'ils disaient et, quelque force enfin qu'ait cette Antiquité, la vérité doit toujours avoir l'avantage, quoique nouvellement découverte, puisqu'elle est toujours plus ancienne que toutes les opinions qu'on a eues, et que ce serait ignorer sa nature de s'imaginer qu'elle ait commencé d'être au temps qu'elle a commencé d'être connue.» (Ci-contre, la machine arithmétique de Pascal).

premières propositions d'Euclide puis de discuter avec les habitués des réunions scientifiques que tient son père, entre deux traductions à livre ouvert d'œuvres latines et grecques.

Fermat, Roberval, Mersenne, les grands scientifiques de l'époque, étaient, paraît-il, aussi étonnés que le père du petit génie, lorsque ce jeune homme de seize ans leur proposa son *Essai sur les coniques* (1639-1640), avant de mettre au point une première machine arithmétique pour simplifier ses propres calculs et par la même occasion ceux de son père, qui venait d'être nommé intendant à Rouen pour l'impôt et la levée des tailles.

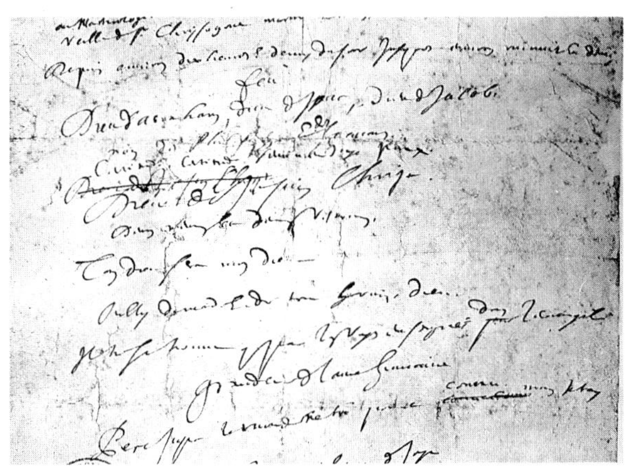

L'appel du monde et la voix de Dieu

Le jeune Blaise ne paye pas de mine. Toujours souffrant, toujours malade, il est en proie à des maux de tête insupportables, doit se déplacer avec des béquilles, et ne peut que boire très chaud et très doucement, selon l'ordre des médecins, cela depuis l'âge de dix-sept ans.

Habitué des salons et proche de Port-Royal, il s'oriente à la fois vers la religion la plus austère et la vie la plus divertissante qui soit.

L'accident de Neuilly et la nuit du 24 au 25 novembre 1654 le rendent, dit-on, au Dieu des jansénistes.

Entre les opinions jansénistes qu'il partage avec sa famille et le monde du divertissement, Pascal hésite encore (ci-contre, portrait dessiné par Domat). Il court aux réunions mondaines et s'affiche dans des cercles littéraires et philosophiques mal pensants, libertins donc, et ne semble plus tant souffrir. Place à la légende : cette vie le lasse à mesure qu'elle exclut les certitudes religieuses et morales. Pascal n'est plus sûr de rien : l'accident de Neuilly le sauve. Le 24 novembre 1654, ses deux chevaux de volée prennent le mors aux dents au milieu d'une paisible promenade, se jettent dans la Seine et laissent son carrosse juste au bord du fleuve. Pascal a frôlé la mort. Le soir même, il rencontre Dieu, et écrit un texte fervent. Ce *Mémorial* (page de gauche) sera recopié et cousu dans la doublure de son vêtement. Dès lors, Pascal est certain de sa victoire; il change de vie, s'éloigne des salons mondains, sans rompre pourtant avec eux, supprime les tapisseries de sa chambre, se passe de domestiques, s'occupe des enfants pauvres et fait de fréquents séjours à Port-Royal.

Attaquant les jésuites sur la question du duel (ci-contre, un duel sur le Pont-Neuf en 1665), Pascal se recommande du roi. Les uns justifieraient le duel, l'autre l'abolit.

« On doit louer Dieu de ce qu'il a éclairé l'esprit du Roi par des lumières plus pures que celles de votre théologie. Ses édits sévères sur ce sujet n'ont pas fait que le duel fût un crime, ils n'ont fait que punir le crime qui est inséparable du duel. Il a arrêté, par la crainte de la rigueur de sa justice, ceux qui n'étaient pas arrêtés par la crainte de la justice de Dieu, et sa piété lui a fait connaître que l'honneur des Chrétiens consiste dans l'observation des ordres de Dieu et des règles du Christianisme, et non pas dans ce fantôme d'honneur que vous prétendez, tout vain qu'il soit, être une excuse légitime pour les meurtriers. Ainsi vos décisions meurtrières sont maintenant en aversion à tout le monde, et vous seriez mieux conseillés de changer de sentiments, si ce n'est par principe de religion, au moins par maxime de politique. »

Les Provinciales, lettre VII

Les Provinciales, le plaisir de polémiquer

L'année 1656 et les premiers mois de 1657 sont ceux des *Provinciales*. Le «Grand Arnauld», théologien janséniste et maître de Pascal à Port-Royal, est poursuivi par les libelles jésuites et la censure pour avoir exprimé cinq propositions contraires à l'orthodoxie.

La Faculté décide alors d'examiner si le «Solitaire» a fait preuve de témérité en ne trouvant pas dans Jansénius les propositions que Rome et les jésuites y lisaient. Menacé de prison, caché, Arnauld est dans une position bien difficile, et souhaite répondre à la polémique.

Il rédige sa justification, mais, à sa première lecture, ses auditeurs restent de marbre : piètre style de polémiste, murmurent certains... Pascal est au nombre de ceux-là, raconte Marguerite Périer.

«Vous qui êtes jeune, vous devriez faire quelque chose !» s'exclame alors Arnauld. Quelques jours plus tard, Pascal lit sa première lettre...

Même si d'autres auteurs donnent des versions différentes de cette entrée en polémique, tous conviennent de l'extrême rapidité avec laquelle Pascal a formulé sa réponse. La *Lettre écrite à un provincial par un de ses amis sur le sujet des disputes présentes à la Sorbonne* paraît à la fin du mois de janvier 1656 et fait grand bruit. La défense surprend d'autant plus que le ton n'a rien à voir avec celui de ces Messieurs.

Qui persuader ?

Le premier public visé est celui des mondains qui suivent de plus ou moins près les rebondissements de l'opposition entre les jésuites et les jansénistes.

Pour défendre le couvent de la mère Angélique Arnauld (ci-contre), abbesse depuis 1602 (à l'âge de dix ans et demi) et le «Grand» Arnauld d'Andilly (ci-dessus), son frère, Pascal s'engage, au plus fort de la bataille. Pourtant, il n'est pas membre du couvent. Arnauld et Nicole sont ses maîtres, l'un l'admire, l'autre l'estime mais est loin d'être son intime, quelques-uns redoutent autant son orgueil que les fréquentations mondaines et libertines qu'il ne cesse d'entretenir en cette période. Et, au sein de l'abbaye, on appelle le petit groupe que Pascal préside «les Pascalins», pour les différencier des autres.

Les débuts de Port-Royal

La mère Angélique Arnauld d'Andilly qui dirige le couvent de Port-Royal (ci-contre, une vue générale), à quelques lieues de Paris, décide de prendre comme confesseur, en 1633, l'abbé de Saint-Cyran, grand lecteur de saint Augustin et ami de Cornélius Jansen, un ecclésiastique flamand auteur de l'*Augustinus*. C'est alors que l'histoire commence... A Paris, on ne parle plus que des «Solitaires», et des retraites spectaculaires des trois neveux de Robert Arnauld d'Andilly, frère de l'abbesse, et des «Messieurs» (Nicole, Lancelot, Lemaistre de Sacy) qui les rejoignent pour réfléchir sur la théologie autant que sur les textes classiques. Réprimés par Richelieu, assimilés souvent à tort aux frondeurs puis aux opposants de toute sorte, les «jansénistes» voient les orages se succéder : Arnauld est visé, polémique encore, est exclu de la Sorbonne le 31 janvier 1656 et perd ses privilèges de *socius sorbonicus*.

Un artiste anonyme a peint les moments privilégiés de Port-Royal-des-Champs : en haut, à droite, *Les Religieuses pansant les malades*; à droite, *Les Religieuses faisant la conférence dans la solitude*; en bas, à gauche, *L'Eglise, intérieur, chœur des religieuses*; à droite, *Le Cloître, la procession de la fête du Saint-Sacrement* et, page suivante, *Le Réfectoire*.

Comment on mate une hérésie

Malgré l'entrée en lice de Pascal et le succès des *Provinciales,* le pape Alexandre VII condamne *l'Augustinus*, suivi par le roi et l'assemblée du clergé. Après de multiples atermoiements et arguties, il faut bien signer un «formulaire»... D'abord conciliant, le pouvoir se fait plus pressant. En août 1664, l'archevêque de Paris vient lui-même à Port-Royal, somme les religieuses de signer sans restriction aucune, et se heurte à un refus. Douze d'entre elles, les plus décidées, sont dispersées dans divers couvents, les autres sont privées de sacrements et placées sous la surveillance de six visitandines bien loyalistes et d'un certain nombre d'archers. Quelques-unes cèdent, les autres doivent résider sous bonne garde à Port-Royal des Champs. Les «Solitaires» sont renvoyés des Granges qu'ils occupaient depuis 1648, doivent fermer les Petites Écoles et se disperser. C'est le traitement habituel d'une hérésie.

L'impact du jansénisme

Mais Port-Royal des Champs ne désarme pas. Après une longue lutte, quatre évêques rebelles et l'ensemble des religieuses signent un formulaire qui distingue le droit du fait : le pape a cédé. C'est la Paix de l'Église. Durant les trente années qui suivent, les jansénistes vont renforcer leurs positions à Paris et en province, d'abord dans la haute et moyenne magistrature, puis dans la noblesse et la bourgeoisie parlementaire, ainsi que dans le bas clergé et certains ordres religieux. Le jansénisme est ainsi moins un ensemble de positions très précises qu'une manière grave, sans compromis, de concevoir l'insertion de l'individu ou de la communauté dans la foi, en accord avec une conception austère de la vie chrétienne. Certains, les plus extrémistes, se retireront du monde dans une attitude de refus ou de passivité, mais de manière plus générale, le jansénisme est perçu comme un mouvement de contestation de l'autorité, lorsqu'elle ne se fonde pas sur l'Écriture.

C'est dans ce public, auquel la casuistique jésuite était pourtant destinée, que le succès des *Provinciales* sera le plus grand. Pour lui, Pascal radicalise les thèses casuistes en insistant sur leurs excès et en les caricaturant.

Loin de condamner tous les jésuites, Pascal s'attaque aux plus virulents d'entre eux. Les jésuites sont présentés comme agissant en fonction de fins humaines, cherchant à renforcer la puissance de leur ordre, leur pouvoir dans la société, capables d'aménager les Saintes Écritures selon le bon plaisir des fidèles, usant de l'artifice et oubliant ainsi les vérités de l'Évangile et l'amour de Dieu.

Mais *les Provinciales* sont aussi destinées aux hommes d'Église, aux juges ecclésiastiques et laïcs, pour les aider à prendre parti. Enfin, par-delà les lecteurs communs, elles sont une adresse au roi, pour justifier à ses yeux un courant de pensée qu'il est amené à condamner et s'attirer ses bonnes grâces, ainsi que celles de la Cour.

Pascal laisse ses *Pensées* dans le désordre

La grande figure du combat janséniste meurt le 19 août 1662, laissant une impressionnante quantité de papier noirci au gré des insomnies. Quelques éléments furent publiés à part, particulièrement les opuscules scientifiques. L'*Abrégé de la vie de Jésus-Christ* fut considéré comme une œuvre achevée, et publié comme telle, à l'instar des *Écrits sur la Grâce,* fragments distincts du reste des papiers qu'on appela les *Pensées.*

La pensée de Pascal découle de la conception de saint Augustin : la Chute détermine une séparation des ordres, et c'est dans l'ordre de la chair qu'intervient la politique. Dès lors, la politique ne peut qu'être corrompue, comme la nature. Il y a bien une justice, d'ordre divin, mais la corruption de l'homme l'empêche de l'atteindre. Ainsi, puisqu'il n'y a pas de justice humaine en soi, il faut établir une justice fausse par nature, imposée par la force, mais apparemment supportable et juste. Dans ce sens, la hiérarchie (nobiliaire et royale) est infondée au regard de la justice, mais nécessaire pour que les hommes vivent en paix. Il faut jouer le jeu social, mais on peut n'être pas dupe... Il n'y a pas là de quoi satisfaire le pouvoir royal! Le pouvoir, lui, se représente priant aux Invalides dans son livre d'heures (à gauche, 1693) et fait en sorte que ses peintres ajoutent aux pieds du Christ sa propre couronne fleurdelisée (à droite, *Le Crucifix aux anges* de Le Brun).

«La vraie éloquence se moque de l'éloquence »

Dans ces textes fiévreux, Pascal déploie toute la gamme de ses talents, et de ses séductions. Ces feuilles classées, trouées, griffonnées forment une aventure spirituelle, philosophique et scripturale exceptionnelle, maintes fois reprise et jamais publiée de son vivant. Fulgurants, dérangeants pour tous sont ces fragments, avec un ton, un style particulier, immédiat, où la polémique, la pédagogie, l'apologie, la sensibilité se côtoient.

Bourdaloue déclame les yeux fermés, sur un ton monocorde, gesticulant avec assez de conviction pour ne pas endormir son auditoire.

Mon Dieu, le beau sermon ! Bossuet, Bourdaloue, Fléchier et les autres

En cette journée de mercredi saint 1671, une volée de laquais assiège l'église où le père Bourdaloue doit prêcher le lendemain. La lutte est chaude et ne va pas sans quelques horions. C'est que le père jésuite prêche divinement, affirme Mme de Sévigné. Les grandes dames n'apparaîtront que le jeudi saint, en retard de préférence, accompagnées de leurs valets, l'un portant le carreau de velours rouge, pour le confort mis à rude épreuve durant ces longues oraisons, l'autre tenant un sac contenant le moyen de satisfaire des envies pressantes que la méditation religieuse ne peut assouvir... On appela cet objet, plus tard, un «bourdaloue»...

Les hommes à la mode envahissent l'autel, de la même manière qu'au théâtre ils occupent les banquettes de la scène, et s'entretiennent d'importance pendant l'office, en attendant le prédicateur. On s'apostrophe, on s'admire, on se salue, on se souvient d'autres prêches, on en discute le goût, le style, l'ampleur — rarement la spiritualité ! En ce siècle éclatant, les églises célèbrent les fêtes de l'éloquence —, le «grand genre», avec l'ode et l'épopée.

Enfin l'avent ! Enfin le carême ! Les affiches dans les rues et la *Gazette* de Loret annoncent les prêches, le public se presse aux portes des églises, on se prépare, on se pâme d'aise à la moindre période, on frémit devant les affirmations péremptoires, on glousse à l'écoute des paradoxes... C'est le temps des sermons.

L'éloquence de la chaire

A partir des années 1660, le goût mondain, élégant et délicat, tourné vers la raison triomphante, s'établit dans les chaires. Non point qu'on abandonne un certain nombre d'effets que la sublimité du lieu impose — «l'éloquence doit demeurer au service de la sagesse» — mais on en vient à dresser, avec Fléchier, un plan clair, à organiser des développements équilibrés, à calquer les périodes cicéroniennes. Bourdaloue (dès 1669), lui, s'attache à analyser le cœur. En témoin de la vie intérieure du fidèle-spectateur, il dramatise, tonne, se fait terrible et «frappe comme un sourd» (Mme de Sévigné) sur les impies. Il sera ensuite relayé par Massillon. Sermons appris par cœur, mais dont la prononciation «pénètre l'âme».

Les oraisons funèbres ne sont qu'une partie du protocole prévu pour l'inhumation d'un Grand. Il y a aussi les convois qui traversent la ville... Ainsi celui de la Grande Mademoiselle, Mlle de Montpensier, en 1693, qui permet au peuple de mesurer l'importance d'une des grandes figures du siècle, à travers la pompe du cortège.

Cependant, celui qui marque son siècle de sa grandeur attique, c'est Bossuet, le «coryphée des prédicateurs», selon Bayle, le «prince de l'éloquence sacrée»... De 1660 à 1669, il prêche, avec beaucoup de succès, dans les grandes églises de la capitale, puis prononce à la Cour les oraisons funèbres qui font encore plus pour sa renommée.

Comment oublier le «Madame se meurt! Madame est morte!» de l'*Oraison funèbre d'Henriette d'Angleterre* (1670)? Et celles qu'il compose pour Henriette de France (1669), pour la reine Marie-Thérèse (1683), pour la Princesse Palatine Anne de Gonzague (1685), pour le chancelier Le Tellier (1686), ou pour le prince de Condé (1687), toutes imprimées sur-le-champ, pour la plus grande gloire du défunt et de l'orateur? Classique, «cicéronien», il a le goût de la période oratoire qui séduit et convainc en particulier le public mondain. La rhétorique sublime lui permet d'utiliser la «sainte simplicité», jusque dans le rappel de petits détails émouvants ou symboliques, qu'il va chercher dans la vie des disparus. Au sein de son raisonnement, il sait

Persuadé, assuré de détenir la vérité absolue, Bossuet (ci-dessous peint par H. Rigaud, peintre du roi Louis) engage toute sa vie à défendre, consolider, étendre le règne de cette vérité. Tendu vers ce seul but, il mobilise les énergies spirituelles. Son éloquence naît de ce savoir et de cette ferveur. Contrôlée par la raison, elle ne déborde jamais les certitudes du théologien.

inclure les affirmations péremptoires, comme des chocs salutaires, des paradoxes et des antithèses qui animent son discours et traduisent en image l'action divine. Dans ces églises surchargées de décorations baroques, la Mort triomphe, contrepoint indispensable à l'éclat du monde.

Bossuet : une grande carrière ecclésiastique

Convertisseur hors pair de protestants et de juifs dans sa bonne ville de Metz, membre du parti dévot et de la Compagnie du Saint-Sacrement, vainqueur de Turenne et de Dangeau abjurant grâce à lui leur triste état de huguenots, exécuteur du théâtre pour sa scandaleuse amoralité, grand pourfendeur de jansénistes et brillant contradicteur de Nicole, Arnauld et consorts dans toutes les conférences de l'Hôtel de Longueville, ultramontain au tout début du règne personnel, proche de la Cour ensuite, donné comme C.M.P. (*Catholicus Mollior Politicus,* «catholique mou et politique») par les partisans de Rome en 1673, Jacques Bénigne Bossuet a su faire une carrière ecclésiastique des plus impressionnantes.

Il plaît : de grands personnages comme Mme de Montespan, Mme de Maintenon, La Rochefoucauld, Mme de La Fayette et Mme de Sablé, ne parlent plus que de lui. Son *Oraison funèbre d'Henriette d'Angleterre,* le 21 août 1670 est un succès, et le roi le nomme précepteur du Dauphin le 5 septembre. Homme du monde «gracieux» et modéré, il sait accueillir Racine, Boileau et La Fontaine dans son cénacle. Les jansénistes sont surpris par la souplesse de sa pensée et vont parfois jusqu'à le considérer comme un ami.

Logiquement, l'Académie française le rend Immortel, en 1671. Sa réussite ne se dément pas. L'homme de cour, religieux et pédagogue, devient, à cinquante-cinq ans (1681, un an après le mariage de son élève), évêque de Meaux, à deux pas de Paris, et règne sur les affaires ecclésiastiques.

Il est «l'Aigle de Meaux» qu'on redoute et respecte, occupant gravement sa place de chef moral de l'Église de France.

Le roi est «Grand et Très-Chrétien», c'est une sorte d'empereur romain paré des grâces du catholicisme (ci-dessus, extrait des *Campagnes de Louis XIV*, vers 1678). Ainsi, Bossuet use de toute sa force de persuasion pour soutenir le roi dans sa politique religieuse, un roi dont il ne fut jamais ministre, à peine conseiller, mais dont il sut asseoir le pouvoir par une théorie théologique de l'absolutisme politique. «Le trône royal n'est pas le trône d'un homme, mais le trône de Dieu même» (citation de *Politique tirée des propres paroles de l'Ecriture sainte*).

LES PLAISIRS,
DE
L'ILE ENCHANTÉE
Du second et troisiéme Iour.

« Le Roi, voulant donner aux reines et à toute sa Cour le plaisir de quelques fêtes peu communes, dans un lieu orné de tous les agréments qui peuvent faire admirer une maison de campagne, choisit Versailles, à quatre lieues de Paris. C'est un château qu'on peut nommer un palais enchanté, tant les ajustements de l'art ont bien secondé les soins que la nature a pris pour le rendre parfait. »

Les Plaisirs de l'île enchantée

CHAPITRE II

« NEC PLURIBUS IMPAR »

« Supérieur à tous les hommes », c'est la devise de Louis XIV, et sa représentation (ci-contre, une gouache de J. Werner) doit marquer cette majesté. Dans *Les Plaisirs de l'Ile enchantée* (à gauche, frontispice), Louis XIV, en 1664, se représentera dans tout son éclat.

“ Un roi de France doit voir dans ces divertissements autre chose que de simples plaisirs. Les peuples se plaisent au spectacle, où, au fond, on a toujours pour but de plaire. [...] Par là nous tenons leurs esprits et leurs cœurs quelquefois plus fortement peut-être que par la récompense et les bienfaits [...]. A l'égard des étrangers, ce qui se consume en ces dépenses, qui peuvent passer pour superflues, fait sur eux une impression très avantageuse de magnificence, de puissance, de richesse et de grandeur. ”

Louis XIV au Dauphin

Versailles, du simple relais de chasse au château mirifique

Le 7 mai 1664, à la tombée de la nuit, s'avance un grandiose défilé. Précédé de huit trompettes et deux timbaliers, le roi se montre, tel qu'en lui-même. Armé à la manière des Grecs, il est le somptueux Roger de l'Arioste, «montant un des plus beaux chevaux du monde, dont le harnais couleur de feu [éclate] d'or, d'argent et de pierreries». Les ducs, les princes et les princesses suivent le héros, conscients de leur rôle, sûrs de leur apparence, certains de leur splendeur : la Cour s'est mise en scène.

Versailles, cet ancien relais de chasse déguisé en petit château, accueille plus de six cents personnes.

Depuis plus d'un an, on prépare ces *Plaisirs de l'île enchantée*, qui doivent surpasser l'entrée de Louis XIV et de Marie-Thérèse d'août 1660, le Carrousel des Tuileries de juin 1662, ainsi que toutes les fêtes d'un certain surintendant qu'il est fort mal venu d'évoquer...

Le bon plaisir du roi, c'est d'abord ses divertissements : *Les Plaisirs de l'Ile enchantée* (ci-contre et à gauche) lui fournissent le moyen de paraître et de donner de sa cour une image somptueuse. Sur ses éventails (en bas, à gauche) comme sur ses buffets (ci-dessous), les insignes de son faste doivent être largement inscrits. Sa devise devient naturellement «*Nec pluribus impar*» : il n'a pas son pareil.

Pour le plus grand plaisir et pour la plus grande gloire du roi...

Poètes, peintres et musiciens se sont empressés de participer à l'entreprise, certains pour se faire pardonner d'anciennes allégeances, d'autres par ambition, et tous pour y briller. Benserade, Molière, Corneille, Lully, Vigarani écrivent, retouchent, construisent, ne cessent de répéter et de s'agiter afin d'offrir au nouvel astre régnant «le plus agréable concert du monde», et les pièces les plus divertissantes, au milieu des laquais enfiévrés et des chevaliers empanachés.

Le 8 mai, Lully et Molière, encore très liés, par amitié autant que par intérêt, donnent *la Princesse d'Élide,* bergerie galante mêlée de musique,

Sur ce tableau d'Etienne Allegrain (ci-dessous), *Promenade de Louis XIV sur la terrasse du parterre nord à Versailles,* le roi, entouré de sa cour, paraît, donne des ordres, gouverne et veille à l'exécution de son projet : faire de Versailles le centre du monde, y réunir sa noblesse et imposer toutes les règles, y compris celles de l'honnête conversation.

rapidement rédigée sur l'ordre du roi. Compte tenu de l'urgence, Poquelin n'a pu ficeler en vers que le premier acte, mais on rit aux situations, on se divertit aux ballets, aux «symphonies» et aux intermèdes. Mlle de La Vallière est rayonnante, on parle d'elle à mots couverts, en chantant l'amour («Rien n'est beau que d'aimer», proclament les couplets), et Louis la regarde, éclairé par les «deux cents flambeaux de cire blanche, tenus par autant de personnes vêtues en masques».

Les tournois, les jeux, les feux d'artifice, la féerie de l'eau, tout conduit à vivre dans l'atmosphère du *Roland furieux*, au sein de cette île baroque que l'auteur italien avait imaginée, plus de cent ans plus tôt. La Cour sanctionne là une référence esthétique essentielle de l'imaginaire romanesque.

Versailles, lieu désigné par le jeune roi pour exposer sa magnificence, n'est encore qu'un petit château. Louis y convoque ses architectes, ses peintres et tous ses artistes; il demande à Le Nôtre de commencer par les jardins, indiquant qu'il souhaite y donner rapidement de somptueuses fêtes. Perspective, bosquets, statues, escaliers, bassins, plantations d'arbres adultes et réalisation d'un grand canal, tout doit être réalisé d'urgence.

Des *Fâcheux* à *Tartuffe*

Au soir du 11 mai, après avoir visité la toute nouvelle ménagerie du roi, on assiste à la représentation des *Fâcheux* de Molière. La pièce rappelle bien un peu les fêtes de Vaux, où elle fut pour la première fois jouée, le 17 août 1661, mais le roi raffole de ce catalogue d'importuns, et a même fait ajouter «un caractère de fâcheux».

Le 12 mai, au soir de la sixième journée des fêtes, après la loterie où la reine gagne le gros lot et à l'issue d'un dîner fort copieux, le roi convie ses courtisans à assister à la première représentation d'un *Tartuffe* en trois actes, probablement inachevé. Les ennemis du plaisir n'y ont pas bonne presse : une fois de plus, le roi trouve Molière «divertissant». Mais la reine mère et les dévots en jugeront autrement.

Les fêtes de cette Cour itinérante émerveillent les courtisans, la ville qui les écoute dans les salons, la nation tout entière qui entend parler de ces fastes, et l'étranger enfin qui en lit les chroniques. Au Louvre, aux Tuileries, à Saint-Germain, à Chambord, à Fontainebleau puis à Versailles (de temps en temps à partir de 1674, et surtout de 1684), l'apparence est reine puisqu'elle est la réalité du royaume.

Mariage politique que celui de Monsieur, frère du roi (à droite, en armure d'apparat), et d'Henriette d'Angleterre. Mariage diplomatique que celui de l'infante d'Espagne, Marie-Thérèse (ci-dessus), et du jeune roi encore follement épris de Marie Mancini, nièce de Mazarin. Symbole de la réconciliation entre la France et l'Espagne, cette alliance, digne des deux royaumes, se fait, avec toute la pompe requise, à Saint-Jean-de-Luz, le 9 juin 1660. Union sans joie mais union politique : la succession d'Espagne vaut bien une cérémonie...

Les deux Cours

Depuis 1661, cette Cour subit une lente évolution.

A la mort de Mazarin, le pouvoir est d'abord réparti entre deux Cours. Celle du jeune roi et celle d'Anne d'Autriche.

La vieille Cour, groupée autour de la reine mère, compassée, fière, espagnole et dévote, n'aime pas l'arrogance cynique dont font preuve les jeunes gens. Anne d'Autriche a oublié depuis longtemps les folles années de sa jeunesse et ses scandales à la

Cour, malgré le rappel qu'en font régulièrement d'impudents libelles...

La jeune Cour, folle, bigarrée, perdue dans ses plaisirs, déteste ces dévots, ou les ignore. Le roi et sa Cour sont à l'époque essentiellement nomades, se déplaçant d'un château à un autre, escortés par des armées de carrosses et de chariots. La licence affichée, la promiscuité, l'imprévision donnent aux défilés et aux cérémonies un caractère de fantaisie que l'image figée, bien postérieure, de Versailles fera disparaître. Le vieux Louvre, inachevé à l'est, croulant au centre et à l'ouest, est aussi humide que puant, et les châteaux de Vincennes, de Saint-Germain, de Fontainebleau et de Chambord permettent aux courtisans de s'aérer quelque peu.

Henriette d'Angleterre, «Madame», belle-sœur du roi, tout occupée aux plaisirs imprudents de ses passions infidèles, est l'un des phares de cette jeunesse.

Philippe d'Orléans, «Monsieur», son mari, trop occupé par ses propres amours homosexuelles, préfère la laisser concurrencer le roi dans le nombre de ses conquêtes.

Jamais Louis XIV n'a voulu faire de son fils (ci-dessus représenté enfant) – «Monseigneur», le Grand Dauphin (mort en 1711) – un pâle «soleil de janvier». En attendant de l'associer pleinement aux affaires de l'Etat, il lui donne une éducation à la mesure de l'héritage qu'il compte lui laisser. Point de discipline qui ne lui soit enseignée, de la danse au grec et de la logique à la vénerie. Pour lui, le roi résume ses idées politiques dans ses mémoires; pour lui encore, il engage Bossuet à synthétiser la théorie de la monarchie absolue...

Louis XIV collectionne tout, les tableaux, les gravures, les sculptures, et les maîtresses, officielles ou non. On adore «croquer le roi», intriguer, jouer de ses avantages pour saisir au vol une part du pouvoir absolu. Les ministres n'y échappent pas et ont partie liée avec Mlle de La Vallière ou avec Mme de Montespan. Colbert se sert de la première, avant de renverser son alliance pour s'allier à la seconde que Louvois, au tout début, protège, avant de la combattre.

Des personnages à part

Les principaux personnages de la Cour, et *a fortiori* le roi, ont profondément conscience d'être au-dessus des lois. Leur morale échappe aux catégories ordinaires que les bourgeois conçoivent sous les ordres de leur directeur de conscience. Et si Louis se sépare, au fil du temps, des seigneurs dissolus, comme Guiche, de Vardes, ou le chevalier de Lorraine, apôtres des plaisirs du roi ou de ceux de son frère, c'est pour leur refuser les facilités morales qu'il s'octroie à lui-même. Les «grands seigneurs méchants hommes» sont exilés, disgraciés, les femmes enfermées dans les couvents, et le pardon royal n'intervient que des années plus tard, pour offrir aux nouveaux courtisans les exemples salutaires de la force du pouvoir, de sa morale et de sa mansuétude.

Les Arts et Lettres aux ordres du Roi

A travers l'exercice du pouvoir et les fêtes qui le célèbrent, la Cour devient le centre culturel de la nation. Liée organiquement à la ville, elle joue un rôle d'initiatrice, lançant les modes et les tendances, tranchant les querelles littéraires, quitte à émouvoir quelques esprits chagrins.

Louis XIV et Colbert, son ministre, ont pour la France un grand projet culturel, donc politique. L'art doit être au service de la monarchie qui le subventionne — et le surveille. L'Académie de Richelieu est réveillée, soutenue et motivée. Perrault envisage, en 1666, de réunir toutes les académies dans une académie générale où les sciences, les lettres et les arts seraient représentés.

La chasse, la danse, les femmes : ainsi s'est forgée la légende des Bourbons. Mœurs brutales, goût pour les historiettes grivoises : à la Cour, il est de bon ton de détester les langueurs amoureuses et de renverser les dames sous les escaliers. Mais quand il s'agit des maîtresses du roi, Mme de La Vallière (de 1661 à 1667, ci-dessus) et Mme de Montespan (de 1667 à 1681, ci-dessous), personne n'ose lever les yeux sur elles.

Avec la Fronde, les aristocrates cessent d'être des mécènes. L'État prend le relais : c'est le temps du mécénat d'État. Il faut maintenant courtiser les Grands qui vous protégeront et vous introduiront auprès du roi mécène. Le monarque décidera seul des places prestigieuses, parfois aidé de son ministre. Pour un scientifique, un artiste ou un écrivain, un siège dans une grande académie (ici l'Académie des sciences et des beaux-arts) signifie à la fois qu'il est reconnu, et que lui-même fait acte d'allégeance au souverain qui l'a désigné.

Charles Le Brun (1619-1690), premier peintre du roi, règne sur les Arts jusqu'à la mort de Colbert. Admirateur de Poussin et de ses idées sur la peinture, le héraut du régime se voit confier la direction de la Manufacture de tapisseries des Gobelins à laquelle Louis XIV attache une particulière attention.

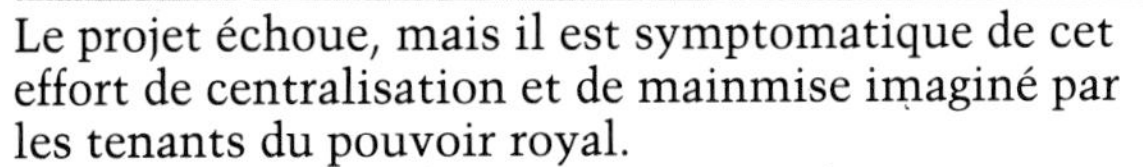

Le projet échoue, mais il est symptomatique de cet effort de centralisation et de mainmise imaginé par les tenants du pouvoir royal.

Les académies de peinture particulières sont interdites en 1662 : «défense est faite aux particuliers de tenir une académie et de poser modèle» ; en février 1663, les sculpteurs et les peintres du roi sont réunis dans leur Académie, sans qu'il leur soit permis de faire autrement. L'Académie des sciences est créée en 1666, l'Académie d'architecture instituée en 1671, l'Académie de musique en 1672, l'Académie française est réformée et privée de son autonomie en 1672.

Il faut travailler pour le roi : les dix membres de l'Académie d'architecture doivent établir des rapports sur les questions qu'on leur pose et les scientifiques sont régulièrement consultés par Colbert sur les problèmes techniques que son administration leur soumet.

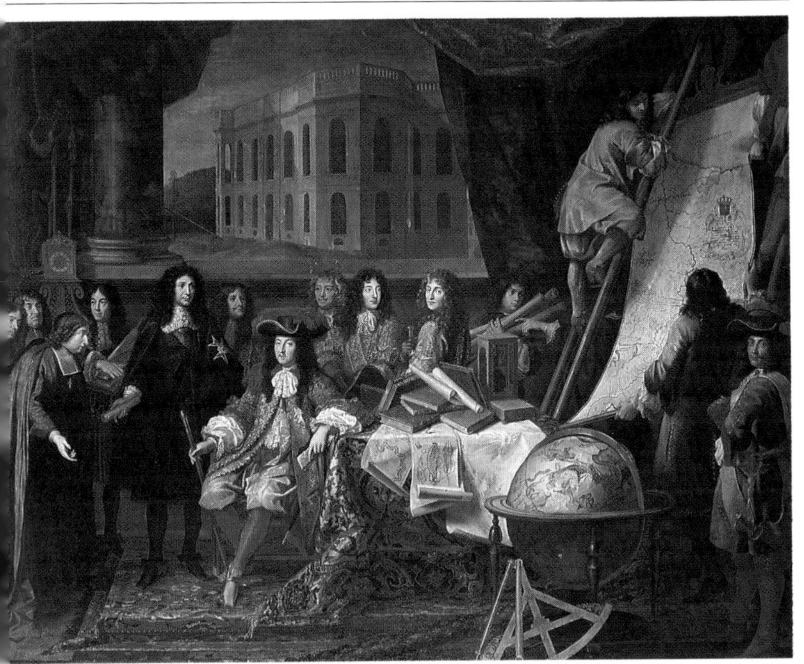

Quant aux Académiciens français, grâce au fidèle Perrault, éternel héraut et «factotum» du régime, le nouveau statut dont ils sont affligés les tient d'assister aux réunions (procès-verbal et jetons de présence obligent), rend publiques les réceptions, et surtout modifie le recrutement de manière que le pouvoir surveille les élections.

De la représentation des légendes mythologiques, le peintre royal passe à la transcription des grands événements du royaume : l'épopée du Roi-Soleil est son sujet essentiel. Cartons de tapisserie, modèles d'orfèvrerie et de meubles pour les palais, de statues, de fontaines pour les parcs et pour les places sont ses menus travaux (ci-dessus, *Etablissement de l'Académie des sciences et fondation de l'Observatoire*, école de Le Brun).

Le Palais du Roi, symbole de la magnificence monarchique

Enfin, il faut constituer les lieux symboliques du pouvoir. Le Louvre, l'Institut, et surtout Versailles ont pour charge de représenter, par leur apparence, l'État monarchique. Lorsque le roi et la Cour arrivent à Versailles pour s'y installer, le 6 mai 1684, ils évoluent au milieu des maçons, sous les échafaudages de la Grande Galerie, affolés par le bruit, l'imprévision, la grandeur, la presse... Dans l'absolue confusion, Louis et ses courtisans cherchent une place où se loger.

Du relais au palais

En construisant un palais pour y loger sa Cour, ses ministres, ses maîtresses, le roi, seul représentant du pouvoir, veut voir son domaine à l'image de sa grandeur. Ainsi, Versailles, du petit château Louis XIII en brique, pierre et ardoise, va devenir peu à peu la résidence-capitale du royaume. Le Vau, entre 1662 et 1670, entoure le château d'une «enveloppe» en pierre à l'italienne, élargit la butte sur laquelle il est construit et assèche les marécages pendant que Le Nôtre trace les axes des nouveaux jardins. C'est ainsi (ci-contre) que le peint Pierre Patel en 1668. Jules Hardouin-Mansart, entre 1678 et 1708, assisté de Le Brun, de Le Nôtre et d'une armée d'artistes, transforme ce lieu en palais. Il fait édifier une véritable colline, draine la région et enfin installe à Marly une machine qui pompe l'eau de la Seine. La galerie des Glaces, face aux jardins, les deux ailes (du midi et du nord), les ailes des ministres (les deux bâtiments en avant du château) datent de cette période et ne figurent donc pas sur ce tableau.

Le monde des jardins

Dans sa *Manière de montrer les jardins de Versailles*, qu'il écrit en vingt-cinq petits paragraphes, Louis XIV guide le visiteur dans ses jardins. Il n'est pas question d'y rêver mais d'y paraître, d'y circuler selon l'étiquette, de participer à un nouveau rite, de suivre enfin un chemin initiatique. La nature doit être disciplinée, comme le goût, et ce n'est pas Le Nôtre, l'architecte des jardins, qui s'opposerait à ce jugement. Au milieu des bassins symétriquement ordonnés, au confluent des allées bien tracées, sous des frondaisons taillées, au sein d'un labyrinthe anguleux, les statues introduisent les dieux, les figures, les emblèmes de cette mythologie qui fait partie du paysage quotidien des arts et des lettres. L'eau, venue à grands frais de Marly, est dirigée, muselée, puis violemment jetée dans les airs : elle assure et contente la puissance royale. «Quand on sera au bas [du jardin], on fera une pause pour considérer les gerbes, les coquilles, les bassins, les statues et les portiques.»

Toute la flotte royale sur le Grand Canal

Dans cet immense chantier qui dure trente années, le château et le parc prennent peu à peu la forme qu'on leur connaît. Les ailes deviennent totalement logeables vers 1689, la chapelle est consacrée en 1712, et, face à la façade, on creuse de nouveaux bassins, de nouvelles allées, déterminant de nouveaux parcours. Sur le Grand Canal, on célèbre la suprématie récente de la marine royale, et sa flottille devient l'image réduite de la flotte française. Ces petits navires, modèles réduits pour croisières rapides, évoluent au milieu des cent quatre-vingt-quinze cygnes danois, entre les gondoles de Venise, la felouque napolitaine, quelques yachts à l'anglaise, et croisent fièrement la réale, réplique de la fameuse galère dont s'enorgueillit l'escadre de Marseille.

Lully, grand «Maître de la musique royale» : un pouvoir absolu

La légende, dont Jean-Jacques Rousseau se fait l'écho dans son *Dictionnaire de musique*, affirme que Lully est mort d'un coup de canne fort symbolique. En l'église des Feuillants, en janvier 1687, une armée de choristes, soutenue par une centaine d'instrumentistes, entamait un *Te Deum* solennel sous la direction du «cher Lully». L'orgueilleux conseiller-secrétaire du roi aurait frappé à grands coups le sol de sa haute et lourde canne, pour marquer le rythme (ou plus vraisemblablement pour demander le silence, avant de jouer). La canne atteint l'orteil. Plaie ouverte, inflammation, gangrène, médecins de comédie – auxquels Lully faisait pleine confiance –, négligence face à la maladie, peur d'avoir la jambe coupée, tout est alors contre lui. On dit qu'en un mois et demi le pied, la jambe, puis tout le corps furent rongés.

L'Italie, politique, musique, opéra

Depuis Mazarin, le ballet de cour français avait cédé la place aux airs italiens. Les compositeurs, les chanteurs, les décorateurs, les machinistes, les librettistes transalpins s'étaient installés à la Cour. L'opéra, convention toute nouvelle pour une France jusqu'ici assez conservatrice en matière de musique, entre en force dans les années 1650, mais les auditeurs ne sont pas prêts à l'entendre. La musique est un art ornemental, même si l'ornement est fondamental. Chanter de bout en bout une tragédie ou une comédie est difficile à admettre pour un spectateur qui aime les longues et larges mélopées

Né en 1632, fils de meunier, florentin, Lulli, puis Lully (à droite) met en scène le roi en Phébus-Apollon (à gauche, dans le ballet *La Nuit*), afin de servir la politique de son maître. Et lorsque le roi ne dansera plus, Lully écrira des opéras (ci-dessous, décor d'*Atys*) et poursuivra cette démarche.

émises à partir de pompeux alexandrins ou qui se borne à admirer les pantomimes et les ballets placés en intermèdes au sein des comédies. Trop longs, peu intelligibles, noyés «dans les machines» du «Grand Sorcier» Giacomo Torelli, les opéras italiens doivent s'adapter ou mourir. Les deux expériences qui vont les sauver ont valeur de compromis. Il s'agit de partir d'un genre national (la tragédie, le ballet de cour) et de l'adapter aux manières italiennes, par paliers. En 1650, Pierre Corneille, dans *Andromède*, utilise les machines et la musique dans la tragédie : c'est un succès.

Quatre ans plus tard Mazarin demande qu'on mêle à une comédie entièrement chantée en italien, *Le Nozze di Peleo e di Theti*, un ballet de cour français. La tentative fait *juris prudentia*, et désormais, les divertissements dansés et chantés vont figurer dans les grands spectacles donnés à la Cour. Les comédies-ballets, les tragédies-comédies (en particulier *Psyché* de Molière et Lully, 1671), puis, en 1673, les tragédies en musique peuvent naître.

L'ascension de «Baptiste»

Jean-Baptiste Lully ravit Louis XIV par sa musique et ses bons mots. Ce «coquin ténébreux», selon Boileau, ce «paillard», selon La Fontaine, en profite : il devient le monarque des arts musicaux. Les fêtes de Versailles, de 1664 à 1668, en font la coqueluche de la Cour, il écrit la musique des comédies-ballets de Molière (*Le Mariage forcé, L'Amour médecin, Le Sicilien, La Princesse d'Élide, Les Amants magnifiques, Monsieur de Pourceaugnac, Le Bourgeois gentilhomme*), collabore avec Quinault, Poquelin et Corneille au succès de *Psyché*, en 1671, en ajoutant de vraies scènes d'opéra, compose de grands chefs-d'œuvre pour l'Eglise et devient une puissance respectable, un pouvoir musical. De son somptueux hôtel particulier de la rue Sainte-Anne, il régit l'ensemble du théâtre musical français, grâce à Colbert qui lui permet de racheter au poète Pierre Perrin le privilège de l'opéra en France et la direction de l'«Académie d'Opéra» qu'il se fait confirmer par lettres patentes accordées par le roi en 1672.

Le règne du Grand Lully

Le nouveau directeur de l'Académie royale de Musique se brouille alors avec Molière, qui avait brigué le même poste, et s'installe au théâtre du Palais-Royal, quelques mois après la mort du dramaturge. Il éclipse le Parisien Marc-Antoine Charpentier, renommé pour sa musique sacrée et ses divertissements de comédie (*La Comtesse d'Escarbagnas, Le Mariage forcé, Le Malade imaginaire*), se heurte aux anciens associés de Perrin, et se voit détesté par La Fontaine, Racine, Boileau, Bossuet, ainsi que par une bonne partie du clergé. Il obtient, pour conforter son pouvoir, qu'aucun directeur de théâtre ne puisse engager plus de deux chanteurs et de deux violons. Les autres compositeurs de musique sacrée n'ont droit qu'à un effectif réduit de choristes et d'instrumentistes alors que le grand maître peut, lui, déplacer des centaines d'exécutants.

Lully est, comme Louis XIV, un danseur. Venu à Paris en 1646 en tant que «garçon de chambre» italien de Mlle d'Orléans, il s'impose par sa virtuosité dans la danse et ses dons de violoniste pour devenir ainsi le «Grand Baladin» de la jeune princesse. Présenté à la cour, il dansera auprès du roi pour enfin créer de magnifiques spectacles. A la somptuosité de la musique et de la danse, se joint celle des costumes. Les acrobates sur des monstres terribles (à gauche, costume de Jean Berain), les Maures exotiques (ci-dessous, dessin de Berain), les éléments figurés (en haut, dessins de Gillot) secondent les machines et les effets de lumière.

ORDONNANCE,

Portant défenſes d'établir des Opera dans le Royaume, ſans la permiſſion du ſieur DE LULLY.

A Verſailles le 17 Août 1684

DE PAR LE ROY.

SA MAJESTE' voulant que le ſieur de Lully ... paiſiblement joüir du Privilege qui lui a été ... par ſes Lettres Patentes du mois de Mars 1672 ... bliſſement de l'Académie Royale de Muſique,

Le 16 mars 1653, Lully est nommé compositeur de la musique instrumentale à la Cour du roi et profite de l'entichement du souverain pour les airs italiens. Carriériste, il écrit un motet pour le mariage du roi, dirige la troupe des Petits Violons, devient surintendant de la musique le 16 mai 1661. Puis le roi lui confie l'établissement de l'Académie royale de Musique, en 1672, et va plus loin encore, en 1684, en lui accordant le privilège exclusif d'établir des opéras dans le Royaume (texte d'ordonnance ci-contre).

C'est la gloire et son cortège de haines et de cabales

Tous les ans, avec Quinault comme librettiste et Vigarani comme décorateur, Lully offre au roi une tragédie en musique : *Alceste*, *Thésée*, *Atys*, *Isis*, *Proserpine*, *Persée*, *Phaéton*, *Amadis*, *Roland*, *Armide* sont autant de succès.

Le récitatif français profite alors de la déclamation dramatique, ne rompt pas avec l'action, comme dans les opéras vénitiens ou romains, et mise sur l'unité harmonique. Le morceau de bravoure est soumis au texte du livret, chaque parole doit être comprise et respecte la prosodie, et les chœurs tragiques sont conservés. La tragédie en musique est donc avant tout équilibrée, classique, majestueuse et fidèlement liée à la tragédie théâtrale dont elle se veut l'émanation.

Enivré par sa puissance, Jean-Baptiste Lully brave les plus grands personnages de la Cour et affiche avec éclat une vie privée particulièrement mouvementée jusqu'à ce que la mort de Colbert et de la reine mettent fin à son crédit.

La dévote Mme de Maintenon ne peut tolérer en sa Cour un Florentin licencieux, baladin de surcroît, et détourne le roi des spectacles lyriques. On le menace même, quelques mois avant sa mort, de lui retirer le théâtre du Palais-Royal. Puisque sa tragédie, *Armide*, ne peut forcer les portes de Versailles, il doit bien se contenter de l'immense succès que la ville lui ménage. Les ballets, les divertissements et les pastorales comme *Acis et Galatée* tombent en disgrâce car l'heure est à la dévotion. Michel de Lalande aura pour charge de l'illustrer par de savants motets, d'ingénieux contrepoints et de nouvelles combinaisons harmoniques, avant que François Couperin ne vienne, dans ses *Leçons des Ténèbres* (musique pour l'office des jours saints), saisir Louis XIV dans son austère contrition.

Après avoir mis en scène le roi en danseur, Lully le sert aussi par ses opéras en célébrant sa gloire, en particulier avec *Roland* (à gauche, frontispice) et *Armide*, qui met en musique les rapports d'amour-haine entre Armide, la princesse sarrasine et Renaud, le chevalier chrétien (à gauche et ci-dessus, les costumes de la création).

Corneille, «le plus grand auteur tragique», tragiquement remis en cause

1659 : Corneille, depuis sept ans, s'était attelé, dans sa bonne ville de Rouen, à la traduction versifiée de l'*Imitation de Jésus-Christ*. Désireux sans doute d'effacer le lointain échec de *Pertharite* (1652), il entame une seconde carrière d'auteur dramatique et saisit au vol la proposition de Fouquet d'écrire un *Œdipe*. Il adapte donc Sophocle et Sénèque aux convenances du moment : le héros s'aveugle en coulisses, on invente un prince athénien, Thésée qui, pour l'amour de Dircé, actualise les valeurs du héros (vaillance, honneur, gloire et vertu) en les appliquant à la passion qui l'assiège. Et au nom du libre arbitre, Œdipe, haï des dieux, ne peut être qu'un souverain odieux.

Œdipe est pour Corneille la concession ultime au mythe d'un roi conciliateur. Dans les pièces suivantes, il revient à ses vieux démons. Si *la Toison d'or* (1660), pièce à machines, plaît par son aspect spectaculaire, si *Sertorius* (1662) remet un temps Rome à la mode (mais le héros est bien vieux, et las), si *Sophonisbe* (1663) alimente une querelle esthétique, ce qui ne nuit jamais ni à l'auteur ni au succès, Corneille donne avec *Agésilas* (1666) puis avec *Attila* (1667) des leçons d'économie politique. Mais sur sa route se dresse à présent Racine. En 1670, dans le duel opposant le *Tite et Bérénice* du vieux poète rouennais à la *Bérénice* d'un Racine triomphant, le public préfère les larmes de l'héroïne racinienne à la constance du héros cornélien.

Dans *Suréna* (1674), le héros, en mourant, laisse derrière lui un trône vide : Rodrigue légitimait son roi en soutenant son père, Suréna, assassiné, emporte dans sa tombe l'ancien ordre du monde.

«Qu'en un jour, en un lieu...»

Le goût a changé. La Bruyère résume schématiquement la situation en opposant les œuvres de Corneille («les hommes tels qu'ils devraient être») à celles de Racine («les hommes tels qu'ils sont»). Parallèlement, Boileau, dans son

Plaire et instruire, divertir et convaincre sont, depuis bien longtemps, les règles d'or de tout travail littéraire. Mais «le secret est d'abord de plaire et de toucher», écrit Boileau.

Art poétique (1674), et l'abbé d'Aubignac (*Dissertation concernant le poème dramatique,* 1663) composent le nouveau carcan de la tragédie.

Les maîtres mots de l'art sont à présent «nature» (humaine bien sûr), «vraisemblance» (foin des excès baroques) et «convenances» : le réalisme souhaité doit être conforme à des types préétablis définissant étroitement le cadre psychologique. A la spécificité hautaine du héros cornélien succède l'universalité du héros courtisan. Et quand bien même la vérité historique impose des modèles excessifs, on les polit à la mesure du regard des Modernes.

Bien sûr Racine est encore trop cruel, Molière trop vulgaire : quand l'un se tait, après *Phèdre,* et que l'autre meurt sur la scène du *Malade imaginaire,* l'ordre des censeurs mous veut régner sur l'univers des lettres. Mais les «mondains» l'emportent toutefois sur les «doctes» : la grande règle n'est-elle pas de plaire ? Correspondant à l'«honnête homme», s'établit une sorte d'«honnêteté littéraire» dans l'horizon esthétique de ces années 1660-1680. On s'écarte des bienséances pour en venir à la «justesse», on revient à l'imprévu, on décide d'être enjoué, apparemment négligent ou passionné, on recherche un certain naturel en masquant le patient travail de l'artiste : c'est le triomphe du public mondain. C'est donc entre une doctrine assez contraignante et un «goût» plus imprécis qu'évoluent les auteurs de cette période. Nul ne le saura mieux que Molière.

UTILE DULCI

Théoricien du théâtre dans ses *Discours sur le poème dramatique* (1660), Pierre Corneille (ci-dessus, vers 1663) revient sur ses pièces précédentes, les examine et les modifie. Il s'agit pour lui de respecter les règles qu'Aristote définit dans sa *Poétique,* sans toutefois en être prisonnier. Car il faut aussi plaire, instruire et être utile par la douceur (*utile dulci* comme on le voit en page de gauche sur une gravure de Landry pour les *Œuvres diverses* de Boileau), autrement dit tenir compte d'Horace et comprendre que l'utilité morale n'est que la conséquence de l'agrément. Enfin, plutôt que de céder à la crainte et à la pitié, Corneille préférera faire appel à l'admiration. Au vraisemblable, trop étroit à son goût, il substitue le grand sujet historique qui dépasse la vraisemblance par sa vérité tragique.

La réputation de Jean-Baptiste Poquelin

En l'hiver 1662, Molière met le feu aux poudres. Protégé par le roi, officiellement soutenu par Monsieur, le directeur de la troupe du nouveau théâtre du Palais-Royal (que le roi lui a attribué depuis 1660, en alternance avec les Italiens) dédie sa nouvelle pièce à Henriette d'Angleterre. Quand *l'École des femmes* est jouée pour la première fois, la mode est plutôt aux pièces à grand spectacle et aux comédies permettant de multiples jeux de scène. La tragédie est encore en retrait, malgré le retour de Corneille. Le public des marchands et des nobles adore les divertissements à machines du théâtre du Marais, et les Grands Comédiens de l'Hôtel de Bourgogne acceptent fort mal cet état de fait. Molière doit exploiter cette situation pour occuper la scène parisienne.

Jean-Baptiste Poquelin, un comédien follement drôle

On le sait parfois grossier, truculent, «farcesque», mais c'est sans doute ce qui le sauva lorsque, au

«Tout comédien des pieds jusqu'à la tête», Molière est la passion même : de famille respectable (son père est tapissier du roi), il avait décidé de quitter ses études de droit pour devenir comédien. Après la chute de l'Illustre Théâtre, à Paris, en 1645, il avait connu, avec Madeleine Béjart, la vie de comédien itinérant puis de petite troupe protégée. Revenu à Paris, en 1658, Molière est décidé à faire carrière. Chef de troupe, acteur irrésistible toujours présent dans ses pièces, écrivain de talent, il fait rire la cour et la ville non sans, délibérément, choquer les bonnes âmes.

Louvre, le 24 octobre 1658, après avoir ennuyé le roi avec une mauvaise version de *Nicomède* de Corneille, il sut le faire rire en jouant *le Docteur amoureux*, «une de ces petites comédies dont il régalait les provinces»; ce qui lui permit d'avoir la jouissance du théâtre du Petit-Bourbon.

Les Grands Comédiens le détestent pour le triomphe qu'il fit en 1659, avec *les Précieuses ridicules,* pièce en un seul acte, où il tirait parti de la chute d'une mode, la préciosité, et de ses excès grotesques. On connaît sa prodigieuse rapidité lorsqu'il s'agit de répondre à une commande, et de ficeler en quelques jours une comédie comme *les Fâcheux,* pour les fêtes de Vaux (1660, il y tient successivement huit rôles!), ou, plus tard, un divertissement comme *la Princesse d'Élide,* pour les *Plaisirs de l'île enchantée* (1664). Et malgré ses échecs répétés à faire apprécier ses talents de comédien tragique (trop «naturel» et pas assez déclamatoire) ou d'auteur de comédie héroïque (*Dom Garcie de Navarre,* 1661, a un accueil des plus médiocres), on craint cet homme qui sait faire

Molière (qu'on voit ici représenté sur chacun des frontispices gravés par Brissart pour l'édition des ses *Œuvres complètes* en 1682) se veut, comme Lully et comme Louis XIV, au centre de la scène. Farceur, empruntant ses mimiques et ses *lazzi* à la comédie italienne, sérieux et polémique aussi, il sait jouer le ridicule des hommes, le grossir à l'extrême et «faire rire les honnêtes gens». On voit combien Poquelin jouait encore avec les costumes, en particulier dans la scène finale du *Bourgeois Gentilhomme,* et raillait à la fois les bourgeois qui veulent s'élever et les ambassadeurs turcs.

FARCEVRS FRANÇOIS ET ITALIE
THEAT
Molière.
Jodelet.
Poisson.
Turlupin.
Le Capitan Matamore.
Arlequin.
Guillot Gorj

Avec sa voix sourde, son «hoquet» régulier qui frise parfois le bégaiement, le jeu qu'il fait avec ses gros sourcils noirs, ses contorsions, sa récitation de profil, la hanche en avant, Molière est le bon élève des farceurs du Pont-Neuf et des Italiens, ses voisins. On dit qu'il démarque agréablement Scaramouche : certains l'en blâment, mais la majorité s'amuse à cette adaptation du comique italien à la scène française.

❝ Il vient le nez au vent,
»Les pieds en parenthèse, et l'épaule en avant,
»Sa perruque qui suit le côté qu'il avance,
»Plus pleine de lauriers qu'un jambon de Mayence,
»Les mains sur les côtés d'un air peu négligé,
»La tête sur le dos comme un mulet chargé,
»Les yeux fort égarés, puis débitant ses rôles,
»D'un hoquet éternel sépare ses paroles... ❞

Portrait à charge de Molière, selon Montfleury, in *l'Impromptu de l'Hôtel de Condé*

Madeleine Béjart (1618-1672) est depuis bien longtemps dans le monde du théâtre. C'est elle qui fascine Jean-Baptiste Poquelin, c'est avec elle, Joseph et Geneviève Béjart qu'il fonde l'Illustre-Théâtre en 1643. Dans la troupe de Molière, elle occupe évidemment une place de choix, au point qu'on la voit, dans *l'Impromptu de Versailles,* discuter d'importance avec l'auteur. Généralement donnée comme bonne actrice, surtout dans la tragédie, elle sait aussi jouer les malicieuses soubrettes. Elle est ici dans le rôle de Madelon des *Précieuses ridicules.*

oublier l'ancienne protection de Fouquet par une allégeance déclarée à la jeune Cour.

Sganarelle...

Enfin, Molière, c'est Sganarelle, un nouveau personnage sur la scène comique, tenant du lourdaud, du raisonneur, du bouffon et du masque italien, rusé et naïf, absurde et «guignolesque». Il se croit beau, parle avec grandeur et volubilité, joue sur tous les tons, triomphe par ses entremises et fait applaudir ses stratagèmes éculés et ses mimiques irrésistibles.

Ainsi, après deux mauvaises saisons, Molière, qui vise à faire de sa troupe, et de lui-même, sinon les premiers comédiens du royaume, en tout cas les plus appréciés, cherche à s'imposer auprès du roi et

Poète de troupe devenu auteur, Molière écrit pour des comédiens qu'il connaît fort bien, et d'abord pour lui-même. Conscient de son large registre, il abandonne le masque des débuts et individualise de plus en plus les types qu'il représente. Mascarille (ci-contre), dans les *Précieuses,* marque un tournant : encore très stylisé, le «masque» italien va s'étoffer...

des spectateurs parisiens. *L'École des maris* (1661) avait été bien plus appréciée que la mise en scène du *Tyran d'Égypte* de Gilbert, alors, va pour *l'École des femmes...*

Curieuse toile anonyme que ce *Molière en saint Jean-Baptiste,* lui qui était à mille lieues d'être saint, bien que Jean-Baptiste. Proche des libertins, sinon libertin philosophique lui-même, déjà blasphémateur dans *L'Ecole des femmes,* il va, avec *Tartuffe,* faire du théâtre une arme de combat.

La querelle de *l'École des femmes*

A priori, rien de bien révolutionnaire. Un barbon et des jeunes gens, on ridiculise le premier, on fait triompher les seconds : structure héritée de la tradition latine et de la comédie italienne. Thème banal de la «précaution inutile», de Scarron à Beaumarchais... Et un mélange heureux entre comique grivois, quiproquos «farcesques» et digressions morales.

Pourtant le scandale perdure de 1662 à 1664. La troupe de l'Hôtel de Bourgogne hait celle du Palais-

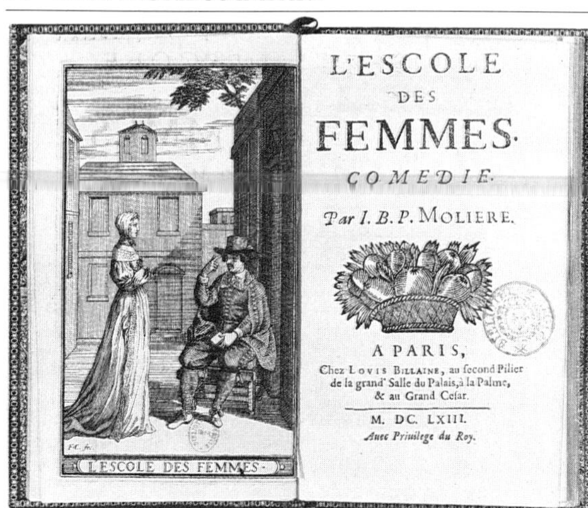
L'ESCOLE DES FEMMES.
COMEDIE.
Par I. B. P. MOLIERE.
A PARIS,
Chez LOUIS BILLAINE, au second Pilier de la grand' Salle du Palais, à la Palme, & au Grand Cesar.
M. DC. LXIII.
Avec Privilege du Roy.

L'ESCOLE DES FEMMES.

On le voit sur ce frontispice de *L'Ecole des femmes* (gravure de Chauveau, ci-contre), la scène qu'on retient est celle où Arnolphe se mêle d'enseigner à Agnès les «maximes du mariage», de lui expliquer qu'elle doit obéir à son futur époux au risque de rôtir en enfer. Le ridicule de la situation – et d'Arnolphe – consistant à se donner en seul mari possible. On sait qu'Agnès, toute naïve qu'elle est, écoutera patiemment, mais saura reconnaître le bon naturel d'Horace.

Royal. Et Molière la ridiculise en imitant dans les salons Messieurs les Grands Comédiens. Éclats de rire et petites haines rentrées, car le succès du «baron de la Crasse» muselle un temps les envieux.

Molière pousse son avantage. La *Critique de l'École des femmes* (1663) répond aux détracteurs, inspirés en sous-main par Corneille, que «la seule règle est de plaire»... En dédicaçant la *Critique* à la dévote reine mère, Molière déplace la polémique du terrain de l'immoralité à celui des règlements de compte professionnels. *L'Impromptu de Versailles* met le roi de son côté.

La querelle de *Tartuffe*

12 Mai 1664 : Molière donne les trois premiers actes d'une comédie mettant en scène un escroc de la foi. Très vite,

la Compagnie du Saint-Sacrement, groupe de pression dévot lié à Anne d'Autriche, et l'archevêque de Paris, Hardouin de Péréfixe, portent le scandale devant les autorités.

Hésitations du roi, qui ne veut pas encore contrarier sa mère, et qui pourtant apprécie par principe une pièce honnie par un parti ultramontain (proche des thèses papales, parfois contre le roi), qu'il aimerait réduire.

Anne d'Autriche meurt et Molière en profite pour jouer au Palais-Royal la seconde version de sa pièce, *l'Imposteur*. Le lendemain, 6 août 1667, le président de Lamoignon interdit la pièce, et le 11, l'archevêque interdit même de la lire. Poquelin va jouer chez Condé, à Chantilly, rédige un placet implorant le soutien royal... La pièce définitive ne peut être jouée que le 5 février 1669. Triomphe et grincements de dents. On cherche — et on trouve — des clefs au personnage.

Orgon (joué par Molière) veut tout donner à Tartuffe (Du Croisy) : ses biens, sa fille en mariage, son âme; il risque bientôt de lui céder aussi sa femme, Elmire (Mlle Béjart). Ce n'est qu'après s'être caché sous une table, pour épier le manège du faux dévot, qu'il prend conscience de son aveuglement. C'est alors une grande scène de dévoilement, illustrée ici par une gravure de Chauveau. Molière-Orgon, plus dépité que furieux, se lance vers le traître tout en regardant son public : on rit de la folie du père de famille, de la situation scabreuse, mais aussi de découvrir ce qu'est la dévotion hypocrite et l'apparence de la religion (Tartuffe porte un austère costume de dévot). Le résultat fut, comme l'a écrit Molière, que les hypocrites et leur parti «se sont effarouchés d'abord, et ont trouvé étrange que j'eusse la hardiesse de jouer leurs grimaces et de vouloir décrier un métier dont tant d'honnêtes gens se mêlent. C'est un crime qu'ils ne sauraient me pardonner; et ils se sont tous armés contre ma comédie avec une fureur épouvantable» (Préface de *Tartuffe*, mars 1669).

On s'aperçoit que Molière n'attaque pas seulement la Compagnie du Saint-Sacrement, mais tous les hypocrites de la dévotion inspirés par la Contre-Réforme. La haine monte contre un auteur qui n'a pour rempart que le roi. «Nous vivons sous un Prince ennemi de la fraude», dit-on à la dernière scène, quand l'envoyé d'un *«rex ex machina»* vient confondre l'imposteur.

Dom Juan l'irrégulier

Entre 1664 et 1669 il faut bien vivre : Molière rédige rapidement en prose *Dom Juan ou le Festin de pierre.*

Scandale littéraire : pas d'unités (ni de temps, ni de lieu, ni d'action). Scandale moral : un héros jeune et séduisant fait profession d'athéisme («Je crois que deux et deux sont quatre...»), tandis que la foi est défendue par un Sganarelle lourd, pataud et bégayant (Molière lui-même, bien sûr); une fin ostensiblement artificielle où le «méchant» succombe au courroux d'une statue passablement ridicule qui porte la volonté du Ciel... *Dom Juan* est immédiatement censuré.

Il faut bien vivre, il faut bien mourir

L'hypocrisie triomphe ? On l'attrape par le biais de ces prêtres laïques que sont les médecins, crispés sur des pratiques qui n'ont rien de scientifique. De *l'Amour médecin* (1665) au *Malade imaginaire* (1673) en passant par *le Médecin malgré lui* (1666), Molière enfonce le clou.

En cette même année 1666, c'est *le Misanthrope* : parallèlement aux bouffonneries, Molière donne dans la comédie réglée. Faute de pouvoir frapper de front les travers sociaux, il passe par l'analyse fine de «types» aux caractères complexes. Alceste est certes ridicule, mais parce qu'il s'accroche à une idée désuète du bien. Il y a de plus en plus de douleur dans le rire. On savait bien que la société est mensonge, mais où est la vérité ? N'est-elle pas relative, peut-être même absente ? La passion d'Alceste, Christ de l'humanité, est la passion de cette vérité enfouie sous les usages. La vaine obsession du vrai.

Les succès se suivent. Ils sont tout autant les produits du génie que ceux de l'impérieuse nécessité de manger : Molière doit alimenter sa troupe. *George Dandin* et *Amphitryon* compensent à peine l'échec de *l'Avare*, en 1668. Molière se tourne vers la comédie-ballet :

« Quoi que puisse dire Aristote, et toute la Philosophie, il n'est rien d'égal au tabac : c'est la passion des honnêtes gens, et qui vit sans tabac n'est pas digne de vivre. » Dès la première phrase de *Dom Juan*, Molière abat son jeu. En mettant dans la bouche de Sganarelle cet éloge du tabac, en enseigne du texte, il vante une mode que les dévots réprouvent, mais, en plus, il affirme hautement que ce qui donne du plaisir est moral et qu'en outre, ce qui donne du plaisir est la matière elle-même... Lier matière, morale et plaisir, est évidemment, à l'époque, une immense provocation! (Ci-contre, *La Charmante Tabagie*, une gravure de N. Arnoult témoignant d'une époque où le tabac était à la mode...)

Monsieur de Pourceaugnac (1669), *les Amants magnifiques* (1670), *le Bourgeois gentilhomme* (1670), *Psyché* (1671), *le Malade imaginaire* (1672). C'est au milieu des chants et des danses que Molière passe de la vie à la mort.

La légende du comédien

Mort légendaire à l'issue de la quatrième représentation du *Malade imaginaire,* le 17 février 1673. Cachant mal ses vraies souffrances et sa toux caverneuse sous le masque d'Argan, il termine la pièce, rentre chez lui et meurt sans le secours

Février 1673. *Le Malade imaginaire* est monté à grands frais. Molière ravit son public en s'étouffant de rage, en toussant comme un damné, en jouant le malade avec drôlerie et ardeur. Le 4e jour, quand s'achève la pièce, la frontière disparaît entre comédie et réel. Implacablement, la toux d'Argan s'empare de Molière.

d'aucun des prêtres qu'on avait appelés à son chevet. Mort d'autant plus légendaire qu'elle montre l'acharnement des religieux, refusant l'inhumation en terre chrétienne au comédien coupable de son art. L'intervention du roi évitera le scandale. Dans la nuit du 21 au 22 février, sept à huit cents personnes et un cortège de pauvres gens, auxquels Armande fera distribuer mille livres, suivent le cercueil jusqu'au cimetière Saint-Joseph. Quatre prêtres portent le corps alors que des dizaines d'autres font circuler, dans la ville, d'ignobles épitaphes vouant l'impie aux flammes de l'enfer.

Sur une musique de Marc-Antoine Charpentier, et après la trahison de Lully qui s'est attribué toute leur œuvre commune, Molière voulait donner à la cour une comédie-ballet mêlée de musique et de danse, à la manière du *Bourgeois Gentilhomme*. Lully, toujours lui, venait en outre d'obtenir que les autres théâtres ne puissent jamais «faire aucune représentation accompagnée de plus de deux airs et de deux instruments», faveur exorbitante. Poquelin se bat et fait admettre au roi que six chanteurs et douze violons puissent soutenir le texte. Mais, devant l'opposition du baptiste italien, *Le Malade* ne put être joué à Versailles du vivant de Molière, pour le Carnaval de 1673. Il fallut monter la pièce à Paris lors même que le chef de troupe était au plus mal. Ce n'est que le 19 juillet 1674, devant la grotte de Thétis dans les jardins de Versailles, que la troupe de Molière représenta sa comédie-ballet devant le roi (ci-contre, la gravure de Lepautre qui illustre cette représentation).

C'est la guerre au théâtre.
Jean Racine, auteur bien en cour, tragique respecté, donne sa dernière pièce en l'Hôtel de Bourgogne. La Champmeslé joue *Phèdre,* mais les adversaires de Racine sont là. Dans deux jours, ils feront un triomphe à la *Phèdre* de Pradon...

CHAPITRE III
LES FASTES

« FASTE, quelquefois se prend en bonne part et signifie simplement Magnificence... Le *faste* de la Cour de France montre la puissance de son Roy... »

Furetière,
Dictionnaire universel

La querelle de *Phèdre* : Racine face à la cabale

Le sonnet de la cabale des Nevers met le feu aux poudres :

«Dans un fauteuil doré, Phèdre, tremblante et
[blême,
Dit des vers où d'abord personne n'entend rien
La nourrice lui fait un sermon fort chrétien
Contre l'affreux dessein d'attenter à soi-même.
Hippolyte la hait presque autant qu'elle l'aime.
Rien ne change son air, ni son chaste maintien.
La nourrice l'accuse ; elle s'en punit bien.
Thésée a pour son fils une rigueur extrême.
Une grosse Aricie au cuir noir, aux crins blonds,
N'est là que pour montrer deux énormes tétons
Que, malgré sa froideur, Hippolyte idolâtre.
Il meurt enfin, traîné par des coursiers ingrats,
Et Phèdre, après avoir pris de la mort-aux-rats,
Vient en se confessant mourir sur le théâtre.»

Racine est déjà le Grand Racine, auréolé des succès de *Bajazet* (1671) et de *Mithridate* (1672), redouté depuis les querelles qu'il avait menées avec éclat depuis *Andromaque* (1667), rival de Molière avec *les Plaideurs* (1668), respecté par les doctes depuis *Britannicus* (1669), fort prisé à la Cour où il a détrôné Corneille qui avait eu la mauvaise idée de se placer sur le même terrain que lui lors des deux *Bérénice* (1670). Depuis le triomphe d'*Iphigénie* (1674), il s'est tu, laissant la place au déferlement de la mode des opéras de Lully et de Quinault qui emplissent le théâtre du Palais-Royal, et des «pièces à machines» de Thomas Corneille qu'on monte rue Guénégaud.

Retraite, ou gestion calme et sereine d'un succès ? Racine fait sa cour, paraît là où il faut être, publie ses *Œuvres complètes*, en modifiant les préfaces des pièces précédentes ou en les écrivant, soucieux de se donner une image

Racine (ci-dessous portrait anonyme, lorsqu'il est au faîte de sa gloire, en 1673), après avoir rencontré à Port-Royal-des-Champs, dès 1655, Nicole, Lancelot et Antoine Le Maître, après avoir connu le jansénisme, foi menacée par le pouvoir, mais capable de toutes les résistances, s'éloigne ensuite de ses maîtres pour tenter de paraître à la ville, dans les théâtres, puis à la cour. Avec *Andromaque*, en 1667, il emporte tous les suffrages et, avec *Phèdre*, en 1677 (à droite, détail du frontispice), il clôture provisoirement sa carrière de dramaturge pour se mettre au service de son roi qui, peu à peu, se tourne vers la dévotion.

d'«auteur» plus que de «poète». Un écrivain soucieux de morale, au-dessus de la mêlée littéraire, bien en cour, renommé et conscient de sa place, un homme de trente-sept ans pour qui la littérature est un moyen d'aller plus loin dans la course aux honneurs. Un auteur qui souhaite réconcilier la tragédie avec «quantité de personnes célèbres pour leur piété et leur doctrine».

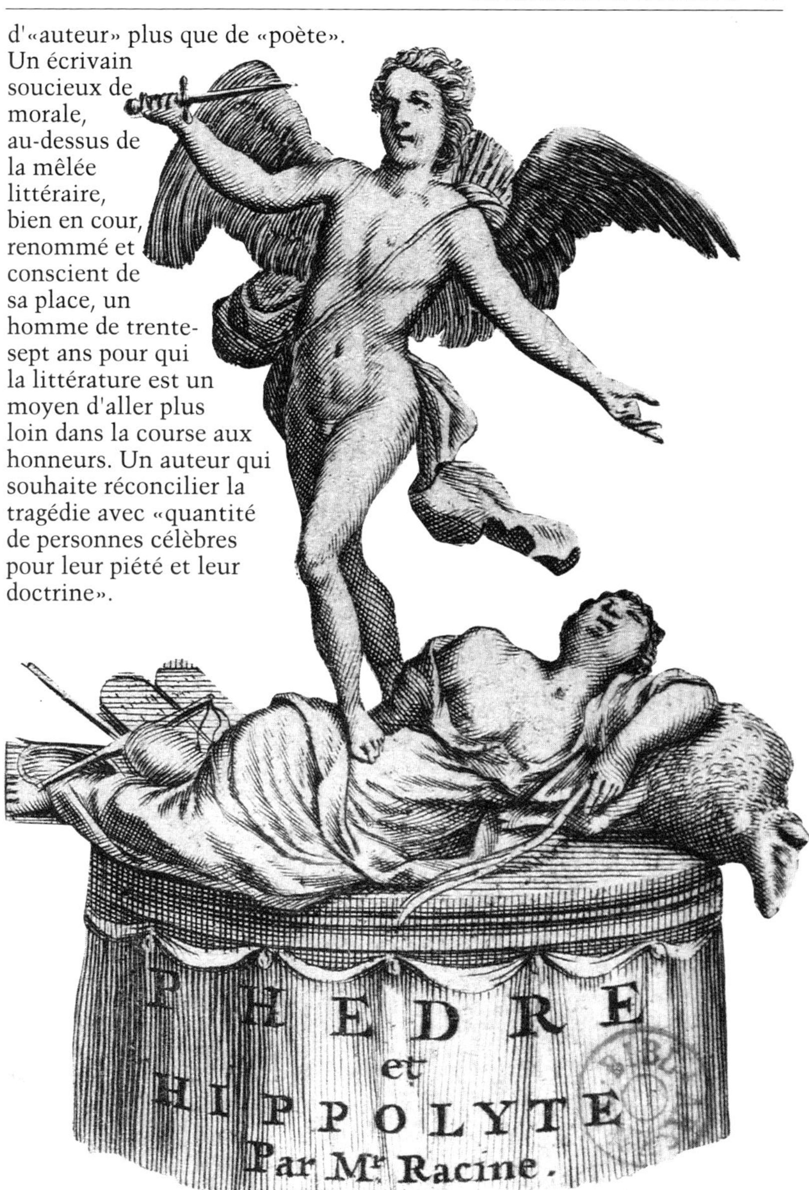

Commandée par Monsieur, frère du roi, pour orner son château de Saint-Cloud, cette assemblée des dieux de Versailles, peinte par Nocret, met en scène la famille olympienne du moment, celle de Versailles. Autour de Louis XIV, en Apollon au sceptre de Soleil (en haut et à droite), la Grande Mademoiselle (au-dessus de lui) est Diane chasseresse assimilée à la Lune. Elle désigne de la main la reine Marie-Thérèse, qui n'est pas vêtue à l'antique, mais figure néanmoins Junon (un paon l'accompagne). A côté d'elle, le Dauphin et sa sœur. Les trois Grâces, filles de Gaston d'Orléans, oncle du roi, sont représentées au fond du tableau, tandis que Cybèle, la mère des dieux, et mère de Louis XIV et de Monsieur (Anne d'Autriche), est au centre. Autour de Monsieur, Étoile de point du jour qui annonce le lever du soleil, Madame, Henriette de France, figure le Printemps, ou Flore. Leur fille porte deux ailes de papillon, comme Zéphyr, le vent qui annonce le printemps. Leurs deux fils, angelots que la mort emportera bien vite, sont au premier plan.

Après avoir aimé la Du Parc et l'avoir détournée de la troupe de Molière (elle meurt en 1666), Racine se tourne vers la Champmeslé (à droite, portrait présumé) à laquelle il donne le rôle d'Andromaque (ci-dessous, détail du frontispice), puis celui de Monime dans *Mithridate* et de Bérénice (ci-contre, frontispices).

Les forces en présence

Alors, qu'est-ce qu'un Pradon, même soutenu par une cabale menée par la duchesse de Bouillon, nièce de Mazarin, et son frère, le duc de Nevers, face au protégé de la Montespan, de Condé, de Colbert et du roi ? L'incident, devenu querelle, puis dangereuse bataille, éclate en janvier 1677. Les deux cabales sont prêtes : Racine en l'Hôtel de Bourgogne, temple de la tragédie, fait jouer *Phèdre et Hippolyte,* le 1er janvier 1677, avec la Champmeslé dans le rôle principal, et deux jours plus tard, le théâtre Guénégaud joue la *Phèdre* de Pradon.

Le succès de Pradon est immédiat, mais de courte durée. La tragédie de Racine est d'abord distancée malgré l'intervention du Grand Condé, venu tout exprès à la deuxième représentation, accompagné d'une suite fort nombreuse. Mais au mois de mars, lors de la publication des deux textes, la cause est entendue, Racine triomphe.

Fin de la parenthèse tragique

En neuf tragédies (et surtout sept, *la Thébaïde ou les Frères ennemis* de 1664 — qui marque l'entrée de Racine sur la scène, avec une esthétique assez cornélienne — et *Alexandre le Grand* de 1665 — qui fait acte d'allégeance au roi et qui flatte sa sensibilité — n'étant que des coups d'essai ou des premiers pas très politiques), Racine a changé le visage de la tragédie, a ému le public mondain, a plu au roi, a ébranlé les «cornéliens» et triomphe.

Que peut-il demander de plus ?

Académicien (depuis janvier 1673), auteur à succès (le prix élevé de ses ouvrages ne décourage pas les éventuels acheteurs, et ne fait que lui rapporter un peu plus d'argent...), Racine est un homme riche et installé. Plus de comédiennes pour maîtresses, la Du Parc est morte (on murmure beaucoup à ce sujet pendant l'affaire des Poisons...), et la Champmeslé (avec laquelle il vient de rompre) a cédé la place à

« Que tu sais bien, Racine, à l'aide d'un acteur,
»Émouvoir, étonner, ravir un spectateur !
»Jamais Iphigénie en Aulide immolée,
»N'a coûté tant de pleurs à la Grèce assemblée,
»Que dans l'heureux spectacle à nos yeux étalé,
»Elle a fait sous son nom verser la Champmeslé.
»Ne crois pas toutefois, par tes savants ouvrages
»Entraînant tous les cœurs gagner tous les suffrages.
»Sitôt que d'Apollon un chemin inspiré
»Trouve loin du vulgaire un chemin ignoré,
»En cent lieux contre lui les cabales s'amassent,
»Les rivaux obscurcis autour de lui coassent,
»Et son trop de lumière importunant les yeux,
»De ses propres amis lui fait des envieux. »

Boileau,
Épître VII, 1677

Catherine de Romanet, fille orpheline d'un trésorier de France du bureau des Finances d'Amiens, parangon d'une bourgeoisie installée anobli sous les charges, très en faveur auprès du roi. Riche grâce à sa femme et à ses revenus, Racine reçoit aussi une pension du roi, des gratifications extraordinaires, ponctuelles mais conséquentes, et devient, par la grâce de Colbert et du souverain, trésorier de France à Moulins (sans travail effectif, et même sans présence; il en accepte volontiers les profits).

Sa réputation de grand auteur étant acquise, son état de courtisan et de mondain n'étant plus discutable, il en revient aux odes qui lui avaient mis le pied à l'étrier, en 1663-1664 (*la Nymphe de la Seine*, l'*Ode pour la convalescence du roi* et *la Renommée aux muses*).

Les Belles-Lettres doivent maintenant célébrer la puissance du souverain, la parenthèse théâtrale se ferme, le roi des odes revient en scène et compose, avec son compère Boileau-Despréaux un panégyrique à la louange du roi, pièce probatoire qui leur permet de devenir historiographes. Racine quitte le théâtre pour rendre compte du règne, sinon avec entrain, du moins avec un bonheur matériel qu'aucun de ses confrères poètes n'ose même envisager!...

Racine et Boileau élaborent le mythe des temps modernes, celui du Grand Siècle, dédié à Louis, maître des armes, des hommes, des arts et des lois.

Les académies et les salons, ou : que fait-on à la ville ?

Le lundi, de cinq heures à sept heures, dix-huit personnes, parmi les plus prisées du domaine des lettres se réunissent chez le président de Lamoignon. Devant Boileau-Despréaux, l'abbé Fleury, Guy Patin et son fils, le père Rapin, entre autres présents, Pélisson lit une dissertation pour ouvrir la séance. Le thème est lancé : «Faut-il préférer Homère à Virgile ?», «Qu'est-ce que l'Histoire ? Que sont les historiens ?», «La raison cartésienne et la doctrine chrétienne condamnent-elles les abus du pouvoir ?», etc. Entre deux périodes oratoires, on s'arrête pour boire un verre, sourire au

« Quand le soleil e las, et qu'il a fa sa tâche,
»Il descend chez Thétis, et prend quelque relâche :
»C'est ainsi que Lou s'en va se délasser.»
Poursuivant toujours plus l'assimilation à Apollon et au soleil, chantée par La Fontaine, Louis X fait construire la grot de Thétis et y entraîn ses courtisans.

maître des lieux, et risquer une pique, toujours très appréciée en ces lieux, contre le pouvoir de Colbert.

Le premier jour de chaque mois, l'abbé d'Aubignac trône dans l'académie de Monseigneur le Dauphin, qu'on appelle aussi Académie des Belles-Lettres ou Académie allégorique... Là, on tranche de l'éloquence et de la poésie, sans fard, sans pitié, et selon les règles.

Quitte à se fâcher avec quelques-uns, D'Aubignac poursuit son devoir : établir une loi aristotélicienne pour les lettres. Dans le même esprit, l'un des présents doit, au beau milieu de la réunion, entamer une harangue bien sentie, composée avec soin et capable de déboucher sur un débat naturellement fondamental.

La politique de prestige de Louis XIV et de Colbert porte ses fruits. Les artistes sont de plus en plus attirés par une Cour brillante et pleine de promesses. Mais, en ville, les salons ne disparaissent pas, ils se banalisent.

La mode est aux académies philosophiques et scientifiques. Gassendistes et cartésiens s'affrontent, on évoque Aristote, Hobbes, on revient sur la Raison, on affirme que l'expérience est nécessaire. Les physiciens entrent en force et recommandent d'assister aux conférences et aux séances d'expérimentation scientifique qui se tiennent régulièrement à Paris dans les lieux les plus divers. Les femmes adorent, en particulier, les conférences de Richesource et de Lesclache, ces nouveaux conférenciers mondains qui lient avec brio les sujets de morale aux découvertes des sciences...

De la vie mondaine à la vie de Cour : l'émergence d'une nouvelle société

Un public mondain (qui regroupe en fait environ trois mille personnes à Paris et le double en province), dominé par une noblesse reine de ces réunions imitée par les bourgeois en mal de reconnaissance, naît ainsi.

Entre les jeux, les danses et les lectures, au milieu des intrigues amoureuses et des luttes politiques, les écrivains tâchent d'avoir leur place, quitte à abandonner certaines de leurs prétentions «doctes» pour plaire aux maîtresses de ces lieux. Car les femmes président, sans conteste.

On s'amuse à constater avec Gabriel Gilbert, l'auteur des *Intrigues amoureuses*, jouées en 1666, qu'une femme du monde sort chaque soir sans son mari, passe la nuit dans les salons de son choix, y joue, y discute, se fait ramener dans le carrosse de son meilleur ami, et se lève à midi.

Il s'agit de savoir tourner un compliment, un madrigal, de jouer à composer des impromptus, des sonnets en bouts-rimés, de donner son avis, si possible circonstancié, sur une pièce de poésie ou de théâtre qu'on vient de lire en avant-première, et d'entrer dans l'univers symbolique que les principaux assistants ont imposé depuis longtemps.

A la cour comme à la ville (à gauche, la «Seconde Chambre des appartements» gravée par A. Trouvain, où l'on joue et où l'on converse), une sociabilité particulière se met en place durant l'ensemble du XVIIe siècle. Les femmes n'y sont pas négligées; et si parfois les «femmes savantes» (ci-dessus, le *Portrait d'une inconnue, femme savante* du temps) sont moquées, elles sont aussi courtisées, au point qu'à la fin du siècle la vie intellectuelle parisienne est dominée par les salons qu'elles tiennent et les conversations qu'elles y animent.

Mais, rapidement, la galanterie se transforme et s'estompe. Les bals masqués occupent de moins en moins les hommes qui ne voient qu'au travers de la Cour, des jeux de paume et des officines de jeux, les signes de leur mondanité. Les grands salons s'affaiblissent à mesure que leurs maîtres et leurs maîtresses épousent ce nouvel état d'esprit ou se réfugient dans la piété, comme Mme de La Sablière, vers 1680, ou comme le duc de Nevers, épousant les thèses quiétistes.

«C'est être véritablement honnête homme que de vouloir être toujours exposé à la vue des honnêtes gens.» (La Rochefoucauld, *Maximes*, 206)

Entre la ville et la Cour, les salons, entre deux jeux et deux anecdotes bien contées, constituent un nouveau type d'homme qui s'écarte sensiblement du modèle aristocratique encore présent pendant la Fronde. Le héros n'a plus cours en ces années; place à l'honnête homme. Utile à sa patrie, agréable à tous, reconnu tel par ses pairs, il s'acharne à

Ces deux représentations de la «Quatrième Chambre des appartements» (ci-dessus) et du «Troisième Appartement» (à droite), par A. Trouvain, montrent que tout devait se tenir à la cour : conversation, jeu de cartes, jeux de société (ancêtre du billard), danse et chanson. C'est à partir de 1685 que l'ennui y apparaît et que, peu à peu, les beaux esprits se tourneront vers la ville.

découvrir la vertu et à la faire partager en société. La perfection du langage est importante, c'est le plus sûr moyen d'être aimé et bien compris dans la mesure où elle est le signe d'un esprit fin, bien réglé, et d'un cœur sincère et droit. La franchise et la simplicité sont donc recherchées bien plus que l'emphase. L'honnête homme n'est pas le cynique courtisan, mais le modèle d'une nouvelle conception de la vie sociale acclimatant les valeurs de l'héroïsme : la faiblesse humaine est enfin prise en compte, et c'est contre elle qu'il combat.

Dans cette atmosphère évolue le duc de La Rochefoucauld, ancien frondeur et ami de Mme de Sévigné. Surnommé «la Franchise» pendant la Fronde, il a alors la réputation d'être le type même du féodal fougueux, hautain, voire écervelé. Pardonné de sa rébellion, il devient le héros des conversations après avoir été celui des barricades. Son œuvre témoigne de ces deux tendances : d'un côté les *Mémoires*, publiés contre son gré en 1662, et sources de haines multiples — les anciens

Depuis la Fronde, la noblesse ne peut plus avoir un véritable rôle politique. La monarchie absolue lui interdit autant la rébellion que le partage du pouvoir. Il lui faut alors un refuge littéraire et éthique, une nouvelle morale, celle de l'honnêteté, adaptation – et dévalorisation – des critères héroïques à un monde qui a bien changé. Le héros est déconstruit, et devient autre; cette fois, il doit vivre à la cour et dans les salons...

frondeurs n'apprécient pas, en ce moment difficile, qu'on révèle leurs faits et gestes, et particulièrement qu'on énonce des jugements à leur égard —, d'un autre côté, les *Maximes*, en préparation dès 1658, publiées de 1665 à 1678, véritable bréviaire du féodal devenu honnête homme.

Romans historiques et «sérieux», avec Mme de La Fayette (ci-dessus), et nouvelles mettent en scène des grands personnages, des dames et des gentilshommes.

La princesse de Clèves devait-elle avouer ?

Mlle de Chartres épouse le vieux prince de Clèves, tombe amoureuse du beau Nemours, du moins le dit-elle à son mari, devant son amant (au sens classique : qui aime et est aimé) caché pendant cette scène capitale et quelque peu scabreuse. De cet aveu, Clèves mourra et Nemours souffrira, car la princesse, veuve, choisit d'entrer au couvent, par une combinaison étrange mêlant haine des hommes, remords, lassitude et peut-être cruauté...

Mais qu'est-ce qui a bien pu la pousser à avouer à son mari un amour somme toute fort platonique (conforme en cela au personnage, mais peu aux mœurs de l'époque) ? Devait-elle avouer, demande à ses lecteurs *le Mercure galant* ? Et les polémiques de faire rage en ce printemps 1678. Aveu «extravagant», dit Bussy-Rabutin. Quelle «jolie confidence», se moquent Mmes de Sévigné et de Montmorency. Quel manque de vraisemblance : l'héroïne est décidément «la prude la plus coquette et la coquette la plus prude que l'on eût jamais vue». En fait de caractères, le critère de la vraisemblance hérité d'Aristote impose l'unité de mœurs, non des ambiguïtés coupables. Que ne prenait-elle un amant sans en référer à son mari ?

Du grand roman à la courte nouvelle

Mme de la Fayette n'en était pas à son coup d'essai. Avec *la Princesse de Montpensier* (1662), puis *Zaïde* (1670-1671), elle avait déjà imposé un genre nouveau, celui de la nouvelle à motif historique, étape primordiale entre le «grand» roman proche de l'épopée, souvent mêlé de vers, et le réalisme psychologique de la fin du siècle. *La Princesse de Clèves* conserve un cadre historique (l'époque d'Henri II) sur lequel se greffent des mœurs contemporaines. Il n'y a pas d'issue pour l'héroïne déchirée entre passion et amour-propre (on a fort suspecté La Rochefoucauld d'avoir prêté la main au roman).

Ce rejet du roman héroïque n'est pourtant pas nouveau. On lit encore les grandes machines romanesques de La Calprenède (*Pharamond*, 1661-1670), de Georges de Scudéry (*Almahide*, 1660-1663), mais on s'intéresse déjà aux *Nouvelles françaises* de Segrais (1657) ou au *Dom Carlos* de Saint-Réal (1672). Parallèlement l'épopée n'est plus que pour mémoire la référence noble, et *la Pucelle* de Chapelain (1656) sombre dans le ridicule et dans l'oubli.

L'héroïsme et le romanesque se jouent à présent à la Cour — en simulation —, dans un univers de danseurs mimant les gestes des héros de papier.

Furetière (ci-dessus), avec son *Roman bourgeois*, fait le lien entre le récit burlesque et le roman de mœurs du XVIIIe siècle.

Du burlesque au réalisme comique

Parallèlement, le roman parodique, comique et burlesque, est lui aussi en déclin. Privé de sa source, ce genre ne pouvait que profondément ressentir la disgrâce de son aîné. Dans ce climat, *le Roman bourgeois* (1666) de Furetière demeure isolé, en jouant résolument la carte du réalisme comique. Furetière y décrit plaisamment le monde de la basoche — les gens du droit donc — qui se plaît à rêver sur des textes qui ne sont plus de mode. Dans les «académies bourgeoises», les personnages se mêlent de littérature, découvrent Corneille, jouent aux précieux, singent Astrée ou Céladon, et vont jusqu'à inclure dans leurs vies «médiocres» des épisodes romanesques tirés des romans les plus en vue quelques décennies plus tôt : enlèvements ridicules, fuites éperdues, amours merveilleuses plongeant dans le sordide, la réalité est à la fois parodique et quotidienne. Fidèlement transcrite, parfois par des descriptions, des listes ou des catalogues, elle reste

fondamentalement drôle, même si cette drôlerie est amère. Il est trop tôt pour voir apparaître dans un roman sérieux des individus venus de la petite bourgeoisie : la tradition de Scarron et de Sorel pèse encore de tout son poids. Furetière n'en constitue pas moins un chaînon qui permet de lier le récit burlesque au roman de mœurs du siècle suivant.

Roman et passion tragique : la religieuse portugaise

Du plus profond de son couvent, Marianne, une religieuse portugaise, séduite puis abandonnée, envoie des lettres à son amant absent, bel officier français silencieux. Elle s'adresse à sa passion, à son amour, soumis au destin, auteur de tous ses maux comme de tout son bonheur. Soudain, les lecteurs entendent un cri tragique directement contemporain auquel ils sont sommés de croire, un cri «réel», déchirant, qui déplace les critères de la vraisemblance dans le roman.

Ces *Lettres* font date en installant dans le récit crédible, actuel, le tragique du théâtre. Les autres «relations véritables» de cette même période s'essouffleront à rendre vraisemblables des personnages venus trop étroitement des romans héroïques, des récits comiques ou des mémoires... sans génie, ce genre a ses limites.

Mais le roman du présent, ou du passé très proche, c'est aussi les mémoires, qu'ils soient fictifs, comme chez Mme de Villedieu (*les Désordres de l'amour*, 1675) ou bien réels, comme ceux du cardinal de Retz ou de La Rochefoucauld. Parfois même, certains s'approchent du journalisme, avec plus ou moins de succès, lorsqu'ils mettent en scène, comme Boursault dans *le Marquis de Chavigny* (1670), des événements directement contemporains.

“ Considère, mon Amour, jusqu'à quel excès tu as manqué de prévoyance. Ah ! Malheureux ! tu as été trahi, et tu m'as trahie par des espérances trompeuses. Une passion sur laquelle tu avais fait tant de

projets de plaisirs ne te cause présentement qu'un mortel désespoir, qui ne peut être comparé qu'à la cruauté de l'absence qui le cause. ”

Lettres de la religieuse portugaise, 1669

[Ci-dessus le frontispice du texte.]

Les *Mémoires* d'un frondeur vaincu devenu héros de son roman

Si l'on dit que La Rochefoucauld a été frondeur pour l'amour de Mme de Longueville, ce qui le rend, évidemment, excusable, il n'en est pas de même pour le cardinal de Retz. Grand seigneur, fils cadet d'une grande famille, prélat par devoir plus que par vocation, ambitieux, féru de théories politiques et très désireux de les appliquer lui-même, Paul de Gondi occupe, au sein de la Fronde, une place qui le discrédite à tout jamais auprès du futur Louis XIV.

En 1670-1675, la Fronde est encore toute proche, et malgré la reprise en mains du pouvoir par le roi, les esprits sont toujours très échauffés lorsqu'il est question des années 1650... Dans les salons et les cabinets de lecture, on lit donc ces *Mémoires*, adressés en principe à une dame (Mme de Sévigné de son propre aveu), pour les révélations et les polémiques que Retz ne manque pas d'y inclure.

Paul de Gondi, conspirateur et politique déchu, s'exprime pour sa défense, et se fait héros, sans

Dans le salon de Mme de Tencin (au fond) ou dans sa riche maison d'Auteuil, Fontenelle, Houdar de La Motte et Saurin (de gauche à droite) formulent les arguments des Modernes et s'intéressent aux nouvelles sciences, capables d'entraîner à un esprit critique parfois dévastateur.

réserves majeures, bien décidé à séduire sa lectrice, et, à travers elle, la postérité. Il vit des aventures extraordinaires, parsemées d'embûches romanesques, s'inspirant autant des *Commentaires* de César que de *l'Astrée* d'Honoré d'Urfé... Les hommes qui l'entourent sont autant de portraits et de faire-valoir qui rehaussent sa gloire. Avec un ton aimable (destinataire oblige), une humilité de façade (la stratégie la rend nécessaire), des phrases courtes parsemées de sentences et de jugements généralisant sur les hommes et leurs passions (le genre les prescrit), les «événements» resurgissent dans les esprits, cette fois sous la bannière de l'histoire vécue.

Enfin, l'histoire du présent, ce sont aussi les lettres que les individus s'envoient, grâce au développement sans précédent des services de messagerie. Conscients qu'ils communiquent des informations, les expéditeurs se sentent parfois des auteurs à part entière. Les lettres, encore rares, seront lues, relues, partagées, et, pourquoi pas, publiées... La lettre commune s'oriente alors consciemment ou non vers le roman par lettres.

L'affaire des Poisons émeut la Cour et la ville

De 1670 à 1680, tout Paris est à l'affaire des Poisons : la marquise de Brinvilliers a en effet révélé, sous la torture, que bien des grands noms ont été intéressés par les excellentes «poudres de succession»... On parle des nièces de Mazarin, de la comtesse de Gramont, de Mme de Polignac, du maréchal de Luxembourg, de Racine, de Mme de Montespan. On va même jusqu'à dire que la mort de

“ A cinq heures, on la lia et, avec une torche à la main, elle parut dans le tombereau, habillée de blanc; c'est une sorte d'habit pour être brûlée. Elle était fort rouge, et l'on voyait qu'elle repoussait le confesseur et le crucifix avec violence. Nous la vîmes passer à l'Hôtel de Sully, Mme de Chaulnes et Mme de Sully, la Comtesse, et bien d'autres. A Notre-Dame, elle ne voulut jamais prononcer l'amende honorable et, à la Grève, elle se défendit autant qu'elle put de sortir du tombereau. On l'en tira de force. On la mit sur le bûcher, assise et liée avec du fer. On la couvrit de paille. Elle jura beaucoup, elle repoussa la paille cinq ou six fois, mais enfin le feu s'augmenta et on l'a perdue de vue, et ses cendres sont en l'air présentement. Voilà la mort de Mme Voisin, célèbre par ses crimes et par son impiété. On croit qu'il y aura de grandes suites qui nous surprendront. ”

Mme de Sévigné
à Mme de Grignan
23 février 1680

[Ci-dessus, les vignettes représentant l'affaire des poisons : La Voisin, ses «méfaits» et son supplice]

Madame, Henriette d'Angleterre (1670), que le cher Bossuet attribuait au Destin, est plus suspecte qu'il n'y paraît... Une commission spéciale, nommée «Chambre Ardente» ou «Cour des Poisons», a été constituée et trente-quatre condamnations à mort ont suivi. Le scandale touche la Cour et l'on renonce à faire subir la question à la Voisin de peur de la voir faire des révélations gênantes. Les «grandes suites», dont parle Mme de Sévigné, sont ainsi empêchées et l'enquête publique est clôturée, pour la plus grande sûreté du royaume.

En 1672, la police découvre que la marquise de Brinvilliers s'était débarrassée de son père et de ses deux frères à l'aide d'un poison à base d'arsenic et de bave de crapaud... La «poudre de succession» n'avait épargné que le mari de la marquise qui prenait d'infinies précautions... Les lettres de la Brinvilliers sont accablantes, et sa noblesse ne la sauvera pas du bûcher. La Reynie, lieutenant de police de Paris, remonte les filières et reconstitue le réseau parmi les gens de la bonne société. On apprend ainsi que la Voisin, alias Catherine Deshayes, sorcière bien connue à Paris, fournissait messes noires, philtres, maléfices, avortements et sortilèges multiples aux plus hauts personnages de la Cour. Des centaines de noms circulent, des accusations fusent sous la torture, la calomnie s'empare de tous et de tout...

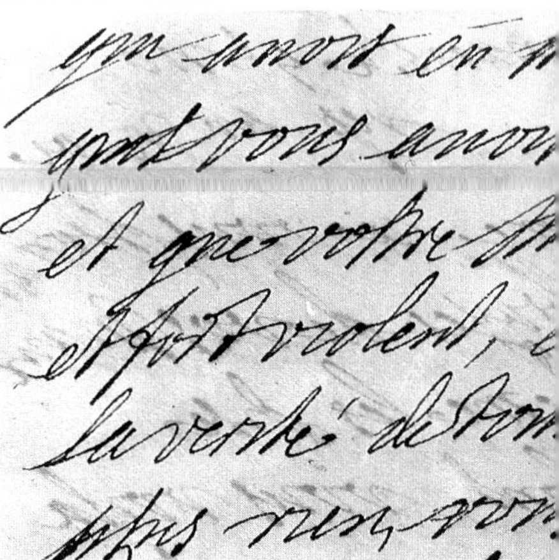

Entre Mme de Sévigné (à gauche) et Mme de Grignan (à droite), l'écriture exigeante et maternelle (lettre du 5 novembre 1684), qui les relie.

Les lettres, relais des gazettes et des conversations de salon

On le voit, les lettres, loin de se cantonner dans l'art de «dire des bagatelles», comme l'affirmait auparavant Mlle de Scudéry, s'occupent de l'actualité la plus... brûlante, au même titre, et peut-être plus encore que les gazettes. Tout en distance, elles présentent des événements graves ou des détails amusants, des anecdotes ou des faits majeurs, avec le même air futile, un peu désabusé, légèrement amusé par les réalités du temps. Il s'agit en même temps d'informer et de plaire, et pas seulement à leur destinataire. Les lettres, qui seront dans certains cas publiées au siècle suivant dans des recueils, sont conservées, lues dans les salons, leur style et leur contenu y sont discutés gravement, au même titre que les fragments d'essais, de mémoires, ou de pièces de théâtre.

On correspond en effet de plus en plus, en ce siècle. Les courriers réguliers (ordinaire et extraordinaire) mettent de moins en moins de temps à atteindre leur but. Aix est aux portes de Paris : en cinq jours, on sait tout de la capitale !

Lettres politiques, lettres d'érudits, de doctes ou de directeurs de conscience, les missives se croisent fréquemment et attestent l'intense circulation des

Le retentissement de l'affaire des Poisons est énorme et s'accroît lorsqu'on découvre que la Montespan elle-même est impliquée, coupable d'avoir voulu empoisonner sa rivale, la Fontanges... Le roi comprend que le trône risque d'être éclaboussé et met fin au scandale. La Montespan avouera simplement qu'elle avait fait confectionner des philtres pour conserver l'amour de son cher souverain, et l'on fit semblant d'oublier les messes noires qu'elle avait fait dire, sur l'autel de son corps dénudé...

idées au sein d'une société européenne qui aime à se découvrir. Les gazettes ne suffisent pas. Trop officielles, elles sont en butte aux censures multiples, et interdisent les confidences de la conversation. Les lettres sont leur complément. Car l'art de la conversation qui envahit les salons des «honnêtes gens» doit maintenant s'effectuer aussi à distance.

Et finalement, le style épistolaire constitue ses propres règles. A l'exemple de Guez de Balzac, on adopte, jusqu'en 1650, un style noble et grave, puis, en lisant Voiture, on sacrifie à l'esprit brillant, enfin, on privilégie le goût et le charme avec Bussy-Rabutin et sa cousine (bien moins célèbre à l'époque), Mme de Sévigné.

Les *Lettres* de Mme de Sévigné, que le XVIIIe siècle aura pour charge de découvrir, sont des témoignages, toutes sortes de témoignages.

Le nez levé, on s'enthousiasme et on s'inquiète...

En ces mois de novembre et décembre 1680, on se bouscule, on s'interroge, on s'apostrophe. Les almanachs disent qu'elle apporte le malheur, de mauvaises récoltes, des morts accidentelles, voire la peste ou la famine. D'autres en appellent à Dieu et considèrent le phénomène comme un avertissement, une sorte de commandeur qui

“ Pour avoir de l'esprit et de la qualité, elle se laisse un peu trop éblouir aux grandeurs de la Cour [...]. Un soir que le roi venait de la faire danser, s'étant remise à sa place qui était auprès de moi : «Il faut avouer, me dit-elle, que le roi a de grandes qualités ; je crois qu'il obscurcira la gloire de tous ses prédécesseurs.» Je ne pus m'empêcher de lui rire au nez, voyant à quel propos elle lui donnait des louanges, et de lui répondre : «On n'en peut douter, Madame, après ce qu'il vient de faire pour vous.» Elle était alors si satisfaite de Sa Majesté que je la vis sur le point, pour lui témoigner sa reconnaissance, de crier «Vive le Roi!» ”

Bussy-Rabutin à propos de Mme de Sévigné, *Histoire amoureuse des Gaules*

viendrait prévenir les âmes des pécheurs de leur proche châtiment. On la voit, elle est là, on la craint un peu moins qu'en 1654 ou qu'en 1665, mais on ne peut cacher de petits frissons devant l'inconnu.

De mauvais esprits qui se croient savants, donneurs de leçons et férus de sciences, indiquent que la chose, si étrange au demeurant, se manifeste régulièrement et s'appelle : une comète...

On en voit même qui élucident le phénomène à grands coups d'astronomie, au risque de choquer quelques principes intangibles de la religion.

Le peuple de Paris, lui, retient son souffle

Il faut dire qu'après l'affaire des Poisons, le climat n'est ni serein ni surtout propice aux explications les plus scientifiques.

Sorciers, sorcières et diables de magiciens hantent les imaginations, suivis de leurs instruments bien tangibles, les poisons redoutables.

« Ne m'avouerez-vous pas qu'il est bien arrivé de grands malheurs sans comète, ou plutôt qu'ils sont presque tous arrivés sans comète ? Pourquoi les uns sont-ils annoncés, lorsque d'autres, et même plus considérables, ne le sont pas ? Quand il n'y a point de comète, il faut bien que l'on s'en passe et que l'on croie que tout est arrivé selon l'ordre naturel ; mais dès que le hasard veut qu'il en passe une, c'est justement elle qu'on rend responsable de tout le mal. »

Fontenelle, *la Comète*

Çà et là, on adore Satan et ses démons. Les sorciers sont les prêtres de cette religion abhorrée et fascinante. Leurs rites sont des envers de la religion traditionnelle, leurs messes l'inverse des messes catholiques, leur foi un système inversé. Et l'on cherche dans les éléments naturels la confirmation du pouvoir du Malin. Les pestes font en général l'affaire ; cette fois, ce sera la comète.

Pierre Bayle analyse les croyances... à propos de la comète

On en dit tant et tant que les incrédules profitent de l'excès des superstitieux pour se moquer des croyances, les mettre en pièces et en venir à l'épineux problème des religions. Le vent vient du nord, de Rotterdam, du Refuge protestant encore à peine constitué. C'est un certain XVIIIe siècle, critique et raisonnable, qui balbutie ses premiers mots sceptiques.

Les Pensées écrites à un docteur de Sorbonne à l'occasion de la comète qui parut au mois de décembre 1680 (1682), de Pierre Bayle, analysent le phénomène et les croyances qui en dérivent. L'année précédente, la comédie de M. de Fontenelle, *la Comète,* ridiculisait les astrologues et leurs prévisions, comme Molière ridiculisait les médecins.

Bayle met dans les mains d'un public informé des armes affûtées pour combattre les fausses croyances, les mensonges et les illusions, sans pour autant tomber dans l'incrédulité radicale : les superstitions liées à la comète sont de tout temps venues, affirme-t-il en convoquant une implacable analyse historique, de la volonté des puissants. Les princes et les religieux, relayés par des gens de lettres à leur solde sont accusés d'utiliser un instrument de domination de plus, en flattant le goût et le sentiment du vulgaire.

Cependant, Bayle en reste à l'analyse historique et ne cherche pas, comme le fera Fontenelle, à la compléter par des arguments psychologiques ou des mises en relation avec l'actualité religieuse et politique. Il est trop tôt pour cela, et Bayle est encore profondément lié au christianisme.

« Ayant rencontré à un de mes derniers voyages à Paris un ancien disciple qui s'était fait recevoir docteur en Sorbonne, et ayant raisonné avec lui sur bien des choses, je lui promis de lui écrire une petite dissertation sur ce qu'on appelle ordinairement des *prodiges* et des *signes de l'avenir*. Il me dit que je lui ferais plaisir, mais qu'afin qu'il pût la montrer à ses amis, il me priait de parler en catholique, ne voulant pas paraître en commerce avec des hérétiques. Une comète ayant paru quelques mois après, je me servis de l'occasion et me mis à composer, mais étant passé de pensée en pensée, jusqu'à des questions un peu singulières, je ne vis pas qu'il fût à propos de faire voir cela à personne... »

Pierre Bayle,
Préface aux *Pensées*

Les embarras de Paris

Paris, c'est la rue, la boue, le bruit, les carrosses rapides et dangereux, le guet à cheval, les attroupements. Et surtout la peur que tout ce monde bascule dans la violence. «Ajoutez les hurlements et les cris de tous ceux qui vont dans les rues pour vendre des herbes, du laitage, des fruits, des haillons, du sable, des balais, du poisson, de l'eau et mille autres choses nécessaires à la vie; et je ne crois pas qu'il y ait aucun sourd-né, si ennemi de lui-même, qui voulût à ce prix recevoir l'ouïe, pour entendre un tintamarre si diabolique.»

J.-P. Manara, *Lettre d'un Sicilien à un de ses amis*

" En quelque endroit que j'aille, il faut fendre la presse
»D'un peuple d'importuns qui fourmillent sans cesse.
»L'un me heurte d'un ais, dont je suis tout froissé;
»Je vois d'un autre coup mon chapeau renversé; [...]
»Et n'osant plus paraître en l'état où je suis,
»Sans songer où je vais, je me sauve où je puis. "

Boileau, *Satires*, VI

Farces et foires

Avant que les foires Saint-Laurent (en août et septembre) et Saint-Germain (en février et mars) ne s'installent avec leurs troupes, leurs jongleurs et leurs danseurs, les bateleurs et les farceurs n'ont pas attendu qu'on édifie des charpentes et des loges pour amuser les badauds. Le Pont-Neuf et la rue Saint-Antoine (ci-contre) résonnent des rires et des stupeurs populaires. Dans les foires et dans les rues, le spectacle est le même. Quand les marchands d'illusion paraissent, la «canaille» et les «personnes de qualité» s'arrêtent.

En haut, on peut voir *Les Farces des rues de Paris, la rue Saint-Antoine*, avec la Bastille au fond et, devant, toutes sortes de «petits métiers» qui y mènent... En bas, *La Barque à poissons et bateaux de blanchisseuses, quai de la Mégisserie*, vers 1670, allient idéalement le travail et les plaisirs.

S'il dénonce une représentation de Dieu injustifiable, fanatique ou idolâtre, il choisit la Révélation et la liberté dogmatique dans le respect de l'Écriture, gage de fidélité, de soumission et d'obéissance à la voix divine.

Les *Pensées diverses* ne font pas scandale à cette époque, mais servent bien plus tard, en 1693, de pièce à conviction pour ses détracteurs. La *Continuation des Pensées diverses,* réponse à ces attaques tardives, ne paraît qu'en 1704. Aussi, Bayle peut-il se consacrer à un autre projet, déterminant un autre angle d'attaque : publier un journal.

S'ils ont encore bien souvent recours à l'écrivain public, les citadins apprennent à lire et partagent en groupe leurs lectures. Livres techniques, livres religieux, livres de chansons, almanachs divers et bibliothèques de colportage forment leur fonds commun.

Les gazettes et les lardons

Les images volantes, les placards illustrés et les «canards», petits imprimés de quelques pages, qui représentent des faits divers occasionnels, circulent tant et plus. La clientèle plus aisée et plus cultivée, elle, s'arrache les gazettes étrangères.

En effet, malgré la censure royale, les gazettes et les journaux se développent, dûment commentés dans les salons de lecture et les premiers cafés. Depuis 1657, les nouvellistes du Luxembourg ont fait leur chemin. Des gens d'affaires, des avocats, des lettrés, des négociants anglais se réunissent régulièrement pour échanger des informations allant de la politique la plus sérieuse aux potins les plus scabreux.

Face à *la Gazette* des Renaudot, les nouvellistes offrent d'autres sources capables de corriger les mensonges du roi et de ses ministres.

On voit fleurir ces «nouvelles à la main», parfois rédigées par des commis de la poste qui ouvrent le courrier pour alimenter leurs feuilles... Le journalisme moderne commence, on enquête, on interroge les valets et les cuisiniers, les cochers et le personnel des ambassades. La police de La Reynie et de D'Argenson n'y pourra pas grand-chose. Surgissent des «Mercures» qui présentent les nouvelles de manière systématique pour un public restreint, des «Lardons» qui se moquent du pouvoir avec violence et entrain, des «Lettres» venues de toutes les Cours, imprimées à La Haye, à Bruxelles, ou même à Paris...

RECVEIL DES

GAZETTES

de l'année 1631.

DEDIE' AV ROY.

AVEC VNE PREFACE SERVANT à l'intelligence des choses qui y sont contenuës.

Et vne Table alphabetique des matieres.

Au Bureau d'Addresse, au grand Coq, ruë de la Calandre, sortant au marché neuf, pres le Palais à Paris.

M. DC. XXXII.

Auec Priuilege.

Tous les mardis et tous les mercredis, quai des Grands-Augustins, les curieux se rassemblent pour commenter les journaux venus de l'étranger. Les Parisiens s'informent, Louvois prend tout le profit de ces postes étrangères, et la police préfère ces périodiques et leurs informateurs aux «feuilles à la main», difficilement contrôlables. Tolérées, voire protégées, les gazettes de Hollande deviennent aussi célèbres qu'intéressantes.

Le roi exclut la R.P.R. C'est l'enthousiasme chez les croyants. Bossuet voit en Louis XIV un «nouveau Constantin», tandis que des cohortes de huguenots (200 000 à 300 000) passent clandestinement les frontières. Henri IV est bien mort, le roi conciliateur et bon enfant n'est plus qu'un mythe populaire. L'édit de Fontainebleau, le 18 octobre 1685, inaugure, pour les protestants français, une longue période de persécutions.

CHAPITRE IV

LES TRISTES, DURCISSEMENT ET SOMBRE FIN

“ A l'heure qu'il est, hors de la piété, point de salut à la Cour, aussi bien que dans l'autre monde.”

Mme de La Fayette

Une décision mûrie

Louis XIV, pourtant bien décidé à ne gouverner qu'un État uni dans sa foi catholique, groupé derrière son souverain (au nom du principe fondamental *«cujus regio, ejus religio»*), s'était contenté de demi-mesures.

Colbert avait compris que la puissance financière protestante ne devait en aucun cas être négligée, et le pouvoir n'avait cessé de presser les huguenots de rentrer dans le giron de l'Église, en leur promettant tous les avantages pécuniaires et politiques qu'ils pourraient souhaiter.

Pélisson, académicien, huguenot converti, crée en 1676 une Caisse des conversions qui ramène quelques milliers de brebis égarées, particulièrement les plus intéressées...

Entre la représentation triomphante de la révocation de l'édit de Nantes par *L'Allégorie de la révocation de l'édit de Nantes par Louis XIV en 1685* (page précédente) et sa représentation officielle (ci-dessous), tout est mis en place pour satisfaire une opinion catholique qui approuve l'exclusion des protestants, ces ennemis qu'on chargeait de toutes les exactions.

Certains s'exilent comme ils peuvent, d'autres abjurent. Certains sont déportés, envoyés aux galères ou dans les colonies, d'autres, obstinément, poursuivent la lutte vaine pour leur foi. Dans les Cévennes, pays à forte majorité protestante, se déroule (entre 1702 et 1705 essentiellement) la dernière guerre de religion qui oppose les Camisards et les dragons royaux. Soulèvement passionné d'un peuple de paysans et d'artisans, pasteurs illuminés, prédicants inspirés; répression féroce, douze mille morts, et finalement, retour à l'ordre monarchique.

Bossuet fait un travail immense : il convertit Turenne en 1668, esquisse avec Leibniz, dans les années 1670-1671, une union des deux Églises, et espère en vain convaincre le pasteur Claude de la fausseté de la Religion Prétendue Réformée.

On se lasse des demi-mesures. L'application restrictive de l'édit de Nantes est un premier pas vers une répression plus stricte, et, à partir de 1679, les choses se gâtent vraiment. L'influence de Colbert décline : dernier rempart des petits cercles érudits et curieux, la Couleuvre finit par mourir en 1683. Le Tellier et Louvois conseillent Louis XIV et sont partisans, d'accord en cela avec Mme de Maintenon et le R. P. jésuite de La Chaise, confesseur du roi, d'une politique plus dure envers les protestants.

Le royaume de France doit d'ailleurs redorer son blason, en matière de religion, lui qui demeure fâché avec le Pape et dépassé par l'Empereur vainqueur des Turcs infidèles sans l'aide française, depuis 1683. Enfin, le

royaume a un compte à régler avec ces protecteurs des huguenots, grands fournisseurs de pasteurs et de libelles, que sont les Provinces-Unies, l'Angleterre et la Suède.

Réprimer, éduquer, favoriser

Pour vider le contentieux, le pouvoir combine violence légale et violence militaire. Privés de leurs droits, harassés par les dragonnades, sans pasteurs, les protestants se convertissent en masse, ou fuient. L'édit de Fontainebleau officialise la situation, par un symbole.

Favorisés par le pouvoir, les tenants de la Contre-Réforme ont maintenant le champ libre. Le redressement intellectuel, mené par les jésuites, est de plus en plus net. Séminaires, retraites, lieux de conférences ecclésiastiques, cérémonies mieux suivies, vocations innombrables venues de tous les milieux

Les huguenots ne peuvent résister aux «missionnaires» armés envoyés par Louis le Grand (à gauche, une lithographie de 1686), et, souvent aussi, ils doivent suivre, enchaînés, les carrosses qui les emmènent aux galères (ci-dessous), quand ils ne meurent pas en route.

permettent la pratique d'une foi plus profonde, plus épurée et mieux maîtrisée qu'au début du siècle. Mais l'Église ne contrôle pas seulement les âmes, elle administre aussi la vie des hommes, elle enregistre les naissances, les mariages et les morts (la tenue des registres paroissiaux par les curés est rendue obligatoire par une ordonnance de 1667), elle est la scansion même de la vie.

Les ouvrages religieux et moraux, grands succès d'édition

Le catholicisme officiel reprend l'initiative par une flambée de publications, on s'arrache les ouvrages de théologie, les controverses, les traités de spiritualité, bien plus que les romans ou les pièces de théâtre. Les plus petites églises s'ornent d'un retable reprenant les dogmes du concile de Trente : l'eucharistie, la rédemption, la communion des

Ce superbe défilé en l'honneur de l'inauguration, en 1706, de l'église des Invalides, œuvre de Jules Hardouin-Mansart, ne peut cacher les troubles sanglants et les guerres perdues qui remplissent l'hôpital contigu, reconnaissance suprême du roi envers ses troupes. Le dôme royal, symbole de la complétude du régime, devient un symbole érodé par les réalités du temps.

A l'apogée des années 1680, succède un profond déclin. On a même considéré, oh symbole!, que la fistule dont souffre le roi, en 1684, est le signal de la décadence. Jusque-là, les fêtes, le luxe, les victoires succédaient aux frasques dans l'insouciance d'un roi encore jeune. A partir de 1684, plus rien n'est comme avant, Versailles s'ennuie, s'aigrit, se fige. Les prédicateurs s'essoufflent à dénoncer les spectacles et les romans, les prisons sont pleines et les guerres perdues... «Tout est affliction d'esprit dans les affaires temporelles», dira Mme de Maintenon en 1708.

saints. On construit des églises, on refait les façades des grandes églises gothiques, on aménage l'intérieur de chapelles dévotes, c'est une grande époque pour l'architecture religieuse.

A l'ombre de ce renouveau de la foi, bien des problèmes subsistent. Les «nouveaux convertis» traînent les pieds, opposent une résistance passive à l'obligation d'assister aux offices, et pratiquent leur culte clandestinement. Les villes et les campagnes gardent ce fond de superstition qui fait les beaux jours des sorciers, des sorcières et de leurs persécuteurs. Le haut clergé est bien plus occupé à célébrer la gloire du roi ou à intriguer à la Cour (les évêques sont nommés par le roi...) qu'à se répandre en synodes et en visites pastorales. Enfin, le courant libertin n'est pas mort, qu'il vienne de Londres, avec Saint-Évremond, de Bourgogne, avec Bussy-Rabutin, ou de Paris même...

A Versailles, pourtant, on prie, on se confit en dévotions, on imite le souverain. Le roi s'est rapproché de Rome, en 1693, quitte à revenir sur le gallicanisme qu'il avait soutenu quelques années plus tôt. Et puis, il faut bien trouver une autorité pour se défendre contre les dissidences religieuses, qu'elles soient quiétistes, avec Fénelon et Mme Guyon ou jansénistes, malgré la destruction de Port-Royal !

Fénelon s'en prend à la politique du roi, aux guerres et aux malheurs qu'elles entraînent. Mal conseillé par le père de La Chaise qui l'entretient dans l'ignorance, Louis XIV est un aveugle conduit par un autre aveugle.

Fénelon, dans *Les Aventures de Télémaque* (ci-dessus, son portrait pour une somptueuse édition du temps), cherche à convaincre le duc de Bourgogne, petit-fils du roi, qu'un bon gouvernement est possible, à la condition qu'il sache abandonner la tyrannie et s'appuyer sur la religion, la morale et la vertu.

Du doute relatif au doute absolu

Les jansénistes lassent et ne font plus recette que dans la petite bourgeoisie intellectuelle d'avocats et de médecins, et dans le peuple.

Dans les cercles encore restreints de la noblesse et de la haute bourgeoisie parisienne, on finit par douter de tout, on mange de la viande pendant le carême, on rit dans les églises, on joue les incrédules, malgré la puissance du parti religieux. Dans ces milieux, l'insatisfaction se proclame par l'irrespect et la dérision.

A défaut de lire Spinoza, on en connaît quelques idées, que les institutions combattent en cessant de les tenir sous silence.

Le duc d'Orléans et sa fille affirment qu'ils sont athées, Fontenelle s'en cache à peine, et nombre d'érudits, de savants, d'hommes de lettres répandent leurs doutes dans les salons.

Le roi et ses partisans avaient cherché la fixité politique, culturelle, religieuse, et le temps leur donne tort. Tout se meut sous leurs yeux, rien ne peut être maîtrisé, arrêté, et surtout pas l'histoire. L'heure est au progrès, cette notion naissante. Et devant le raidissement du pouvoir, attaché au mythe de sa permanence, les nouvelles idées se déplacent, avec les hommes nouveaux, au nord des frontières.

L'observation, l'expérience, la géométrie, la physique deviennent les sujets de conversation majeurs chez les nouveaux précieux qui ne jurent que par Fontenelle. Dans ce milieu restreint, parisien et aristocratique, on se renseigne sur les objets scientifiques que les savants ont mis au point (lunette astronomique en 1609-1630, pendule vers 1650, machine arithmétique avec Pascal en 1644, télescope en 1671 avec Newton, microscope vers 1660, baromètre en 1640-1680, thermomètre en 1640 et 1714 avec Farenheit); on les achète à prix d'or, et on en remplit les «cabinets de curiosité». Le type idéal de la connaissance est la géométrie, et le grand chic est maintenant d'observer l'univers.

Les héros, là aussi, ne sont plus les mêmes. Finis les Rolands latins, les Cids aventureux et fiers, les Céladons pastoraux; ceux qu'on aime et qu'on admire, dans les bonnes maisons, ce sont des scientifiques au discours exotique et chiffré.

Astronomie galante

Dans un grand parc, agencé avec goût et raffinement, par une nuit éclairée de milliers d'étoiles, les *Entretiens sur la pluralité des mondes* (1686) racontent merveilleusement les lois de l'univers à une délicieuse marquise. Fort galant, et très touché par sa compagne, le narrateur mondain enseigne, en quelques soirées, la révolution

Dans cette époque en mutation, les types de discours et de pensée se superposent sans s'exclure. Les gens des salons, les scientifiques, comme les philosophes, ne sont plus si respectueux des Anciens, s'intéressent aux sciences, critiquent les idées fausses, exercent leur raison et non uniquement leur mémoire.

copernicienne pour que son interlocutrice accède avec fierté aux vérités et aux beautés de la raison scientifique. Révélation : la science est belle !

Les idées évoluent, le monde change, et l'on s'aperçoit vite que les progrès scientifiques réalisés avec l'appui des autorités, pour la plus grande gloire de la nation, critiquent, de fait, les notions sur lesquelles cette nation repose.

Les idées nouvelles naissent dans les Refuges

Les traités d'Utrecht rendent compte de la supériorité des hérétiques (Angleterre, Pays-Bas, Allemagne du Nord) sur les vieilles puissances catholiques (France et Espagne). Jacques II d'Angleterre, en fuite, recueilli par Louis XIV,

« Depuis que les mathématiciens ont trouvé le secret de s'introduire jusque dans les ruelles, et de faire passer dans le cabinet des dames les termes d'une science aussi solide et aussi sérieuse que la mathématique, par le moyen du *Mercure galant*, on dit que l'empire de la galanterie va en déroute, qu'on y parle plus que de problèmes, corollaires, théorèmes, angle droit, angle obtus, rhomboïdes, etc. ; et qu'il s'est trouvé depuis peu deux demoiselles à Paris à qui ces sortes de connaissances ont tellement brouillé la cervelle, que l'une n'a point voulu entendre une proposition de mariage, à moins que la personne qui la recherchait n'apprît l'art de faire des lunettes dont le *Mercure galant* a si souvent parlé ; et que l'autre a rejeté un parfaitement honnête homme, parce que, dans le temps qu'elle lui avait assigné, il n'avait pu rien produire de nouveau sur la quadrature du cercle. »

Journal des Savants, 4 mars 1686

(en haut, un laboratoire de chimie et en bas, une expérience de dissection.)

ne reviendra pas sur son trône malgré l'expédition d'Irlande... «Dieu a donc oublié ce que j'ai fait pour lui», murmure Louis le Grand en apprenant la défaite de Ramillies, en 1706.

Guillaume III triomphe, Bossuet gémit sur l'Angleterre, Fénelon la voit «livrée à toutes les visions de son cœur», et les impies prospèrent quand la monarchie absolue s'aigrit.

La victoire sourit donc aux audacieux. Bayle, Spinoza, Locke deviendront des maîtres à penser, dès lors que les théoriciens catholiques seront moins crédibles.

Les débuts de l'anglomanie

De Londres, Saint-Évremond (1614-1703), libertin gassendiste, exilé depuis 1661, répand les idées nouvelles, dans une impressionnante correspondance. En familier des grands esprits du temps, il est fasciné par le changement que les découvertes de l'esprit impriment aux choses.

A Paris, on lit avec avidité ses jugements sur la littérature autant que ses rapports sur les philosophes anglais. C'est un peu grâce à lui que la majorité des regards est dirigée vers l'Angleterre, pays des savants et des penseurs libres des carcans latins. Pays qui sort d'une révolution avec enthousiasme, pays du nouveau libéralisme, pays de l'ouverture et du commerce. Pays qui surprend, ou qui ravit, aussi bien par l'issue heureuse de sa révolution, que par l'édification d'une nouvelle forme de gouvernement.

Le mauvais exemple anglais

Devant les Cours d'Europe ahuries, Guillaume d'Orange est proclamé roi d'Angleterre après avoir pris connaissance du contrat qui le lie à la nation anglaise. Qu'il s'agisse d'édicter des lois, de les supprimer, de lever des impôts, ou d'entretenir une armée, il doit avoir l'assentiment d'un parlement élu, libre et indépendant : c'est le *Bill of Rights* de 1689. L'existence des parlements n'a rien de nouveau, mais c'est leur rôle qui est cette fois différent, et reconnu dans la loi. En outre, le *Toleration Act*, du 24 mai 1689, accorde aux

Dans le «désert cévenol», puis dans tout le sud-est de la France, apparaissent de curieux prédicateurs, sûrs de leur foi, illuminés et convaincants. Impitoyablement pourchassés par les troupes royales, ils restent insaisissables. Leurs visions, leurs miracles et les transes qui les accompagnent réunissent des centaines de fidèles au sein de lieux improbables. En septembre 1703, le roi fait détruire 460 villages du haut-pays et les rebelles meurent de froid durant l'hiver suivant.

protestants dissidents la liberté de culte, d'enseignement et la possibilité de faire carrière pourvu qu'ils communient selon le rite anglican. Les catholiques restent exclus, mais l'Angleterre est en paix, pour longtemps.

Comment ne pas faire le lien entre les événements anglais et les réalités françaises ? Comment les milliers de protestants du Refuge, exilés à la suite de la révocation de l'édit de Nantes, feraient-ils l'économie de ce rapprochement ?

Un pasteur, Pierre Jurieu, dans ses *Lettres pastorales aux fidèles demeurés en France,* enfonce le clou. La puissance sans bornes du tyran est incompatible avec la souveraineté légitime. Sans reconnaître au «vulgaire» un droit individuel à la désobéissance, il admet cependant un droit populaire à la rébellion, «quand il y va de la ruine de l'État ou de la Religion». Mais cette position reste bien théorique et les hommes du Refuge (d'ailleurs partagés sur cette question, puisque Bayle, entre autres, redoute cette tendance à l'anarchie chez ses coreligionnaires), se méfient des révoltes populaires et ne tiennent pas à soutenir le mouvement camisard...

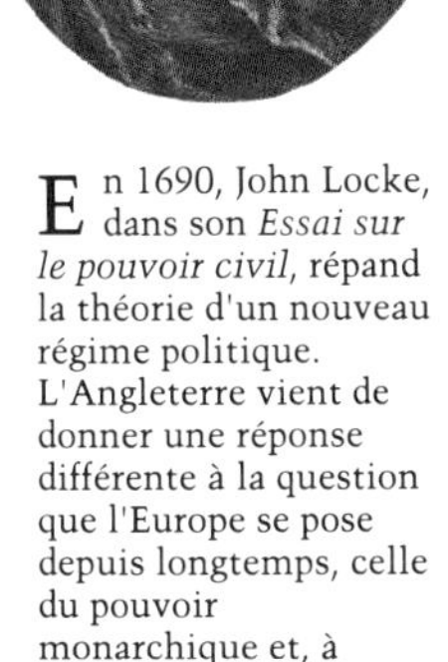

En 1690, John Locke, dans son *Essai sur le pouvoir civil,* répand la théorie d'un nouveau régime politique. L'Angleterre vient de donner une réponse différente à la question que l'Europe se pose depuis longtemps, celle du pouvoir monarchique et, à travers elle, de l'Etat.

Le retour de Racine au théâtre : *Esther* et *Athalie*

La Maison de Saint-Cyr, fondée en 1686 par la pieuse Mme de Maintenon, doit être un des plus beaux fleurons du règne de la nouvelle femme de Louis XIV, et la plus belle représentation de son intérêt charitable pour ses pensionnaires. Dès 1687, celle qui avait été «la Veuve Scarron» s'en ouvre à Racine, grand connaisseur en matière d'éducation, de piété et de divertissements qui relit pour elle les constitutions de Saint-Cyr.

Alors, pour écrire quelque chose qui convienne au temps et au lieu, elle pense naturellement à lui, aussi poète que courtisan plein de tact et de piété. *Esther*, divertissement édifiant en trois actes, sur une musique de J.-B. Moreau, avec costumes,

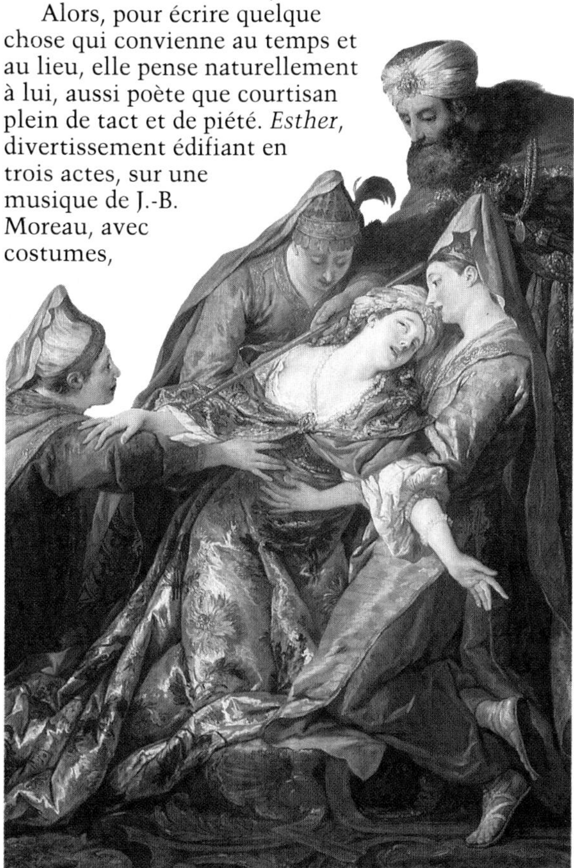

La Bible mise en images, c'est aussi la Cour, avec ses vanités, ses angoisses, sa lutte pour le pouvoir, et l'on se perd en conjectures sur les interprétations possibles. Défense du jansénisme ? Défense des huguenots devant la répression impie ? Panégyrique de Mme de Maintenon sous les traits d'Esther ? La foi peut être rédemptrice : Esther n'est pas la victime d'un pouvoir divin, mais son instrument, aussi est-elle sauvée. L'éclatante démonstration se fait opéra, musique, divertissement, conjugue le plaisir et l'édification religieuse : la prière d'Esther émeut, convainc, et ravit un roi qui l'écoute inlassablement, soir après soir.

ballets et chants des «petites bleues», est représenté devant le roi et la Cour début 1689.

Racine, un auteur sur qui l'on peut compter

Dans les moments difficiles, les auteurs fidèles sont source de grandes satisfactions... Racine, historiographe attaché aux exploits du Roi-Soleil, avec Boileau, n'a pas rompu avec le théâtre pour autant. Ses pièces sont toujours jouées, à Versailles comme à Paris : il fait déjà partie des classiques. Ses détracteurs sont nombreux, envieux ou sincères,

« Impitoyable Dieu, toi seul as tout conduit.
»C'est toi qui me flattant d'une vengeance aisée,
»M'as vingt fois en un jour à moi-même opposée,
»Tantôt pour un enfant excitant mes remords,
»Tantôt m'éblouissant de tes riches trésors,
»Que j'ai craint de livrer aux flammes, au pillage.
»Qu'il règne donc ce fils, ton soin et ton ouvrage;
»Et que pour signaler son empire nouveau,
»On lui fasse en mon sein enfoncer le couteau. »

Racine
Athalie, Acte V, Scène 6

Durant tout le XVIIIe siècle, *Esther* et *Athalie* (frontispice page suivante, en haut), seront largement représentées, tandis que Racine (en haut, à gauche) sera glorifié en tête de ses nombreuses éditions. *L'Evanouissement d'Esther* (détail, à gauche) et *Athalie chassée du Temple* (ci-contre) sont deux séquences particulièrement appréciées pour leur intensité dramatique.

mais Corneille, Mme de Sévigné, Bussy-Rabutin et Mlle de Scudéry ne sont plus si venimeux, et il ne reste que le malheureux Pradon pour faire encore le coup de feu.

Le grand rêve d'un art total : l'opéra biblique à grand spectacle

La mode est à l'opéra, la Cour a faim de chants, de danses, de spectacles depuis Lully. Un bon courtisan ne peut que souscrire à cet engouement, un prince des lettres ne peut qu'y être le meilleur, en renouvelant le genre.

Ainsi, l'«homme de bien» qu'est devenu Racine, favori du roi jusqu'à être invité dans l'intime retraite de Marly (dès 1689), va chercher à composer un grandiose opéra biblique en prenant le sujet d'*Athalie.* Cinq actes, des intermèdes musicaux, pas d'entractes, pas de monologues, de nombreux figurants... et le Temple de Jérusalem, érigé par Salomon, matérialisation de la personne de Dieu, «le seul lieu sur la terre où Dieu veut qu'on l'adore», manifestation de la force divine et de son action.

Malgré le goût du roi pour les spectacles et son admiration pour Racine, *Athalie* ne sera jouée qu'en costumes de ville et sans les nombreux musiciens qui étaient prévus : il est décidé que Saint-Cyr ne serait pas une seconde fois le centre de la vie mondaine, la somptuosité n'est décidément plus de saison ! Les dévots les plus durs emportent une première victoire précédant la grande réaction anti-théâtrale de 1694.

Pour profitable qu'elle ait été, l'aventure n'en cesse pas moins. Racine n'écrira plus pour le théâtre, sinon pour revoir ses anciennes pièces, mais il devient gentilhomme ordinaire du roi en décembre 1690. Pénitent hypocrite selon les uns ou sincère selon les autres, il savoure auprès du roi sa longue et glorieuse carrière.

Jusqu'en 1698, il sera un courtisan prestigieux, un dévot engagé, et un auteur renommé. Ses pièces sont traduites, honorées, ses positions dans les querelles

« Quoique ces pièces ne soient représentées que peu de fois [...], on s'occupe à en parler pendant plusieurs mois ; [...] et quand on est ainsi tout rempli d'une chose sainte et morale, [...] qui entre dans l'esprit parce qu'on s'y plaît, on ne l'a point occupé par d'autres choses. »
Mme de Maintenon

font autorité, et ses ennemis stigmatisent l'ambiguïté de ses positions et de ses statuts.

La retraite du courtisan et la destruction du Temple...

Mais dix-huit mois avant sa mort, qui survient le 21 avril 1699, il se retire de la Cour, semble brûler ce qu'il a si longtemps adoré, dans une sorte de sursaut mystique déjà entamé avec la rédaction des *Cantiques spirituels.* Les motifs de la trahison et du reniement, présents dans toute son œuvre, sa passion pour le monde constamment remise en question par l'abjuration de l'ordre familial et religieux qu'elle implique, trouveraient là leur ultime réponse...

Malade, vieillissant, il se rapproche de son ancienne école, Port-Royal, et rédige un *Abrégé* de son histoire. Le secret de cette rédaction lui permet de rester l'ami et le favori du roi et de Mme de Maintenon, ultime ambiguïté du poète-courtisan, gentilhomme bien extraordinaire...

Dans *Athalie*, l'épopée, la tragédie et l'opéra sont réunis au sein d'un projet énorme qu'en principe le roi doit apprécier. Mais, en cette année 1690, les dévots les plus austères installent leur pouvoir en rejetant toute forme de théâtre, fût-elle édifiante. On fait valoir à Mme de Maintenon que ses demoiselles de Saint-Cyr (représentées ci-dessous dans leurs activités) deviennent des actrices, ce qui est le pire des maux, qu'elles jouent, de fait, dans un divertissement de cour, comme de mondaines créatures. Elles se montrent aux hommes et prennent goût à leur compagnie; leur vanité, apanage du sexe faible, s'en trouve renforcée, et leur exemple pernicieux finit par pervertir d'autres maisons religieuses...

Les Anciens et les Modernes : le siècle de Louis et le siècle d'Auguste

Scandale à l'Académie française : le 27 janvier 1687, Perrault lit son nouveau poème sur *le Siècle de Louis le Grand*. Grand maître des cérémonies culturelles du régime, il célèbre la guérison du roi et la gloire du règne...

«La belle Antiquité fut toujours vénérable.
Mais je ne crus jamais qu'elle fût adorable.»

Les deux vers ont franchi la surdité débutante du vieux Boileau. Malade, suffocant, il s'indigne du plus fort qu'il peut, avec sa voix éraillée qu'il est en passe de perdre tout à fait. Académicien avec difficulté depuis moins de quatre ans, échaudé par les luttes qui avaient émaillé son élection et celle de La Bruyère, il s'attendait à une sortie de ce genre, mais là, c'en est trop, c'est la guerre ! La querelle s'installe. Le 25 août 1687, Perrault écrit une *Épître* au roi «touchant l'avantage que Sa Majesté fait remporter à son siècle sur tous les siècles», devient encore plus agressif dans une pièce en vers, *le Génie*, en juillet 1688, fait enfin paraître le *Parallèle des Anciens et des Modernes* entre 1688 et 1692.

Perrault, attaqué de toutes parts, va de plus en plus loin : Homère n'est plus rien auprès des romanciers du Grand Siècle. Pindare, Démosthène et Aristote sont ridicules auprès de Mlle de Scudéry et de Chapelain, sans compter les nouveaux auteurs que le progrès va produire !...

Le mal vient de plus loin...

En fait, les deux camps s'observaient depuis 1670. Les «gens de Versailles» et les «beaux esprits de Paris» s'affrontent à fleurets mouchetés, par coteries et salons interposés. Chacun a ses protecteurs. Racine, Boileau, La Fontaine s'appuient sur la Cour, Bossuet, l'aristocratie et la haute magistrature ; les Modernes ont pour organe *le Mercure galant* et se

Acte I. Perrault (à droite) mène l'offensive avec *Le Siècle de Louis le Grand* (1687) : «Je vois les Anciens sans plier les genoux, / Ils sont grands, il est vrai, mais hommes comme nous : / Et l'on peut comparer, sans craindre d'être injuste / Le siècle de Louis au beau siècle d'Auguste.»

Acte II. La Fontaine réplique dans son *Épître à Huet* (1687) : «Ces discours sont fort beaux, mais fort souvent frivoles, [...]
»Et, faute d'admirer les Grecs et les Romains,
»On s'égare en voulant tenir d'autres chemins.»
Boileau renchérit avec la *Septième Réflexion sur Longin* (1694) : «Lorsque des écrivains ont été admirés durant un fort grand nombre de siècles [...] il y a de la folie à vouloir douter du mérite de ces écrivains.»

réunissent chez Mme Deshoulières ainsi que dans de nombreux salons parisiens.

Cette opposition ne recouvre pas seulement une différence de vues sur l'importance des textes anciens. Les déclarations excessives de Perrault sont trompeuses, et Fontenelle s'en rend lui-même tout à fait compte, tout en l'épaulant dans une brillante *Digression sur les Anciens et les Modernes* (1688). Devant le triomphalisme des partisans de la nouveauté et du progrès, les «vieux auteurs» s'aigrissent et notent avec humeur que la vie contemporaine, passionnée par le jeu, le luxe, le goût galant, la politesse mondaine et l'élégance délicate sont bien loin des contraintes, des efforts et de la peine nécessaires à toute vie réglée. La galanterie est pour eux une nouvelle préciosité, ce que ne dément pas la participation de Quinault, ou du vieux Benserade. L'Antiquité est pour les partisans des Anciens une question de principe : le goût classique s'est formé à partir des maîtres antiques et leur étude a permis à des hommes du commun de devenir de brillants auteurs.

Reddition

En août 1694, il faut bien céder devant Perrault. Au gré des deuils (La Fontaine en 1695, Racine en 1699), Boileau s'isole de plus en plus et se rapproche à tel point des jansénistes qu'il en devient suspect. Son appartenance familiale au milieu du Palais, sa lecture enthousiaste des *Provinciales* lorsqu'il avait vingt ans, son goût pour la polémique, ses rencontres avec le Grand Arnauld et les positions augustiniennes qui en découlent (*Épître,* III) le

Acte III. Alors que La Bruyère rejoint les Anciens, la presse accentue la pression sur Boileau (à gauche) et ses partisans. En 1688, Fontenelle développe ses thèses dans sa *Digression sur les Anciens et les Modernes*, et Perrault écrit son *Parallèle des Anciens et des Modernes* : «Autrefois, il suffisait de citer Aristote [...]. Présentement, on écoute ce philosophe comme un autre habile homme, et sa voix n'a de crédit qu'autant qu'il y a de raison dans ce qu'il avance.»

Acte IV. Boileau publie l'*Ode pindarique sur la prise de Namur* et l'année suivante, la *Satire X* contre les femmes qui soutiennent les Modernes.

Acte V. Les positions se rapprochent. Boileau envoie en 1694 une lettre plus nuancée à Perrault, qui réplique de manière conciliante dans son *Cinquième Dialogue des Parallèles* (1697). Boileau conclut : «Tout le trouble poétique
»A Paris s'en va cesser :
»Perrault l'anti-pindarique,
»Et Despréaux l'homérique
»Consentent à s'embrasser.»

laissaient déjà supposer. Mais cette fois, le héraut de la monarchie absolue tempête contre la confiscation que les jésuites ont fait du pouvoir. *L'Équivoque,* poème écrit entre 1703 et 1705, est interdit pour sa foi en l'amour de Dieu et son réquisitoire contre la Compagnie de Jésus. Rome et Versailles sont aux mains du père Le Tellier, confesseur du roi, nouveau monarque religieux.

Le vieil homme plaintif est brisé : «L'ouïe me manque, ma vue s'éteint, je n'ai plus de jambes...», et deux mois après l'interdiction de son épître, il s'éteint, le 13 mars 1711. Il avait consacré toute sa vie à la défense du Beau absolu, intemporel, immortel, et le Beau avait changé.

“ Pour peu même que ceux qui liront ces *Contes* soient disposés à profiter des exemples de vertus et de vices qu'ils y trouveront, ils en pourront tirer un avantage qu'on ne tire point de la lecture des autres contes, qui sont plus propres à corrompre les mœurs qu'à les corriger. ”
Antoine Galland, [à gauche] préface aux *Mille et Une Nuits*

Des contes français aux rêves orientaux : les *Contes* de Perrault (1698) et *les Mille et Une Nuits* (1704-1717)

Le sultan Schahriar a décidé de se mettre à l'abri de l'inconstance des femmes en épousant chaque nuit l'une de ces créatures infidèles et en la tuant au réveil. La belle Shéhérazade, fille du grand vizir veut arrêter le massacre. Elle épouse le sultan, mais demande que sa sœur couche dans sa chambre. Chaque matin, la petite sœur exige qu'en attendant le jour, Shéhérazade raconte une histoire, et naturellement, la conteuse a soin de ne pas terminer la narration et de la laisser en suspens jusqu'au matin suivant. Les contes les plus merveilleux se succèdent ainsi enchâssés, sans que le sultan n'y puisse rien, entraîné par la magie des récits...

Et derrière Schahriar, tout un peuple de lecteurs émerveillés découvre Sindbâd et Aladdin. Les Arabes, grâce à Antoine Galland (1646-1715), ne sont plus ce qu'ils étaient. Depuis que l'antiquaire du roi a appris le turc, le persan et l'arabe lors de ses voyages à Constantinople (1676-1679), les lecteurs ne reconnaissent plus leurs idées sur la question.

La traduction du Coran, puis des *Mille et Une Nuits* (1704-1717), rend les Arabes soudain civilisés, et gomme une partie de leur barbarie. Les artifices du traducteur font le reste, en visant l'élégance, la bienséance, la conformité au goût et aux idées du temps. L'exotisme est apprivoisé.

Voyages réels et imaginaires

Les Français ne sont plus seuls, même s'ils se savent les meilleurs. Certains voyagent et informent les autres. De curieux personnages entrent de plain-pied dans leur univers, qu'ils viennent des contes, des rêves ou de l'étranger et ces nouveaux héros mettent en question un monde qui ne demande qu'à évoluer.

En trouvant d'autres interlocuteurs, on trouve immanquablement d'autres discours sur le monde.

Les missionnaires jésuites (ci-dessous au Siam) s'en vont évangéliser la Chine et l'Inde et envoient régulièrement des *Lettres édifiantes et curieuses*, pleines de leurs difficultés à convaincre les païens des merveilles de leur civilisation et des vérités de la foi. Publiées dès 1702, elles s'augmenteront toujours (missions d'Amérique, du Levant, etc.) pour totaliser, en 1780, vingt-six volumes.

Les Orientaux, les Chinois, les Arabes, rencontrés au hasard des voyages, et les «êtres de nature» créés par les auteurs (en particulier le sauvage iroquois Adario des *Dialogues de La Hontan avec un sauvage américain*, 1703), permettent à la fois de juger la société présente d'un point de vue donné comme extérieur, et de parler de l'essentiel, c'est-à-dire du fondement des sociétés. La critique et la philosophie se rejoignent ici, et pour longtemps. Par mode ou par ordre du roi et de son ministre, des hommes voyagent et rapportent des observations curieuses qui mettent en question les bases mêmes de la puissance royale : les lois, les coutumes, les religions, les constitutions font l'objet de notes, d'étonnements multiples, mais aussi de réflexions approfondies sur l'essence de ces notions.

Au Siam, les jésuites écoutent les savants du lieu, partagent leur savoir et délivrent leurs connaissances, tout en cherchant à amener, de manière plus ou moins directe, les élites à la foi chrétienne (ci-dessous, une étude d'éclipse de soleil en 1688). Les observations scientifiques se mêlent au discours religieux et aux doutes sur l'évidence des vérités divines.

LE PETIT

POUCET.

CONTE.

IL estoit une fois un Bucheron & une Bucheronne, qui avoient sept enfans tous Garçons. L'aîné n'avoit que dix ans, &

RIQUET

A LA HOUPPE.

CONTE.

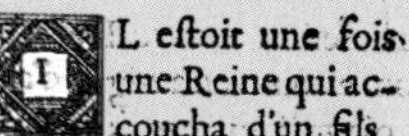

IL estoit une fois une Reine qui accoucha d'un fils, si laid & si mal fait, qu'on

N iij.

LA

BARBE BLEUË.

IL estoit une fois un homme qui avoit de belles maisons à la Ville & à la

Voyage dans la tradition : les contes

Restent les contes de fées, pour rêver sans entraves. Apparemment fort loin de la géométrie et de l'austérité versaillaise, les *Contes de ma mère l'Oye* (1698) viennent distraire les lecteurs qui ont l'heureuse surprise de retomber, un moment, en enfance. Perrault amuse en reprenant ces histoires venues du fond des âges, par l'entremise des femmes, en les prétendant transcrites par son propre fils. Récits ou poèmes d'enfants pour les enfants ? Tout s'y oppose. Il n'est pas pensable, à l'époque, qu'on écrive pour ces chers bambins, et les personnages merveilleux, lorsqu'on les regarde de près, ont des pulsions et des préoccupations de grandes personnes. Perrault en revient, lui aussi à l'air du temps. La violence s'empare du texte, les problèmes d'argent l'envahissent, la matérialité domine, en particulier chez ces paysans qui n'ont plus rien d'extraordinaire. Forme non classique, le conte devient fable ; et les morales ont pour charge de ramener le lecteur à des réalités dont il avait cru s'affranchir.

Sur les pages d'ouverture des *Histoires ou Contes du temps passé, avec moralités*, par Charles Perrault (ci-dessus, une édition de 1697), une iconographie rend le texte plus présent, et marque les esprits en soulignant une scène clef.

La solitude du vieux roi, de Versailles à Marly

De plus en plus autoritaire, Louis XIV ne sait plus séduire. Et comme il s'ennuie ferme à Versailles, le roi s'isole à Marly. Mme de Maintenon elle-même, sa dévote femme depuis 1683, n'est plus en cour, pour avoir défendu des positions par trop pacifistes. En privé il s'en remet à Dieu, à ses médecins, et à son confesseur. Le père Le Tellier, successeur du père de La Chaise, administre sa conscience au point que certains pensent qu'il administre aussi l'État. Le règne n'en finit pas : plus de dents, plus d'amis, plus de fils, plus de victoires, plus de saisons (les hivers sont terribles et les récoltes catastrophiques, c'est, selon les climatologues, le «petit âge glaciaire») : tout va décidément bien mal.

Sur le détail du tableau de Louis de Silvestre (ci-dessous), le roi est entouré de sa cour et, lorsque le prince de Saxe (en rouge) le salue Mme de Maintenon, son épouse officieuse (en haut à droite), est au centre du groupe, regarde Louis et semble commenter, voire contrôler, l'ensemble de la scène.

«Dieu me punit...»

Depuis 1691, date de la mort du grand ministre Louvois, Louis XIV ne cesse d'enterrer des hommes irremplaçables. Pudeur, conscience de son état? L'image qu'il donne de sa grandeur lui interdit de longs éloges posthumes dont il laisse le soin aux ministres et collaborateurs qui sont sous ses ordres. Au plus fort de cette longue guerre qu'il mène pour établir son petit-fils, Philippe V, sur le trône d'Espagne (depuis 1700, la guerre de succession d'Espagne fait rage), alors que les armées essuient une série de défaites qui les avait menées jusqu'à Malplaquet (11 septembre 1709), le Grand Dauphin, espoir du royaume, s'éteint le 14 avril 1711. Le 12 février 1712, vient le tour de la duchesse de Bourgogne, puis le 18 février, le duc de Bourgogne, deuxième Dauphin, et le 8 mars, le duc de Bretagne, troisième Dauphin (âgé de cinq ans), succombent aussi aux assauts de la variole. Le destin s'acharne sur les descendants d'Henri IV, comme à plaisir. Le duc d'Alençon (bébé de vingt jours) et son père, le duc de Berry (petit-fils du roi), meurent en 1713 et 1714.

La paix tant recherchée, celle que l'abbé de Saint-Pierre esquisse dans son *Projet pour rendre la paix perpétuelle en Europe* (1713), celle que

Mme de Maintenon appelait de tous ses vœux est enfin atteinte et signée : Philippe V régnera en Espagne, mais renoncera à ses droits sur la couronne de France. Ce sont les traités d'Utrecht (1713) et de Rastadt (1714).

Le futur Louis XV n'était né que le 15 février 1710...

La vie citadine, des salons aux cafés

A la ville, pourtant, les fortunes se font à l'ombre de la guerre, les «brasseurs d'affaires», qu'ils soient nobles ou bourgeois, se voient à l'Opéra, auprès des comédiennes et des danseuses. C'est la mode des eaux-de-vie et des ratafias, du jeu et des scandales : les femmes, autant que les hommes, sont les

Dès 1660, la veuve de Scarron, spirituelle et jolie, est choisie par Mme de Montespan pour s'occuper des enfants illégitimes du roi. De modeste naissance, Françoise Scarron est la petite-fille d'Agrippa d'Aubigné, grand poète protestant et fidèle d'Henri IV. «La Belle Indienne» (qu'on appelait ainsi parce qu'elle avait des origines créoles) n'inquiète pas la favorite de Louis. D'abord effacée, dévote et louée pour son savoir, elle se consacre avec ferveur à son devoir d'éducatrice, puis se fixe auprès du roi, toujours dans l'intérêt de ses protégés. Mariée secrètement au roi, après la mort de Marie-Thérèse, cette femme devient ce qu'elle n'avait jamais rêvé d'être : le second personnage du royaume. Après la mort de Louis XIV, elle se retire à Saint-Cyr et se consacre à l'éducation de ses «petites bleues».

Les cafés sont de nouveaux centres de réunions. Au *Procope*, chez *Gradot*, chez *La veuve Laurent*, les plus grands esprits conquièrent leur gloire en commentant avec acidité les gazettes officielles, en se passant «sous le manteau» les gazettes à la main et les livres défendus, tout en se méfiant des «mouches» gouvernementales qui notent les propos subversifs et les noms de leurs auteurs... Fumer, boire du café, et discuter de l'importance du progrès des sciences et des arts, voilà l'attitude «moderne»! (Ci-dessus, deux croquis de Watteau : en haut, une boutique de barbier; en bas, la boutique du marchand d'étoffe). Les peintres s'intéressent maintenant à la vie quotidienne sans déchoir tandis que les Modernes, Fontenelle en tête (à droite), occupent les salons et les cafés.

actrices de ces réjouissances. Les soupers de l'Enclos du Temple, autour des Vendôme, font les délices des chroniqueurs à scandale. Mais on y parle aussi littérature, avec des gens fort divers qui peuvent s'ennuyer ostensiblement en lisant l'*Énéide* ou soutenir les Anciens en ridiculisant La Motte et Fontenelle. Chez la duchesse du Maine et son frère, à Clagny, puis à Sceaux, on rime et l'on parle philosophie, en encensant Descartes et en glorifiant la Raison. On va même, en 1705, jusqu'à proscrire les bouts-rimés, les acrostiches et les anagrammes jugés trop futiles et surtout trop prisés dans les nouveaux salons modernes... C'est ici le fief des partisans des Anciens, comme à L'Isle-Adam, chez le prince de Conti, exilé de la Cour.

Mais les Modernes aussi ont leurs coteries de plus en plus nombreuses, en particulier celle du

Palais-Royal, chez le duc d'Orléans, passionnées de l'Angleterre et de ses philosophes, au point que l'ambassadeur d'Angleterre lui-même, en arrivant en France en 1714, est surpris de voir l'engouement des Français pour son pays. Mme Deshoulières est la reine des années 1685-1690, tandis que le salon de Mme de Lambert devient en 1700 l'antichambre des Académies, tant le parti moderne y est puissant.

Dans ces salons et dans ces «cours galantes», l'élite est de plus en plus nettement installée. Quitte à accepter quelques bourgeois, ces modernes élites aristocratiques veulent créer un petit monde sensible, à la limite de la préciosité, doutant de tout et même de Dieu, fier de sa liberté, de son intelligence et de son invulnérabilité. L'esprit critique est à la mode, tout autant que les nouvelles sciences attachées aux matières les plus périlleuses. De cercles savants en académies politiques, Fontenelle semble faire le lien, passant dans tous ces endroits, comme un général avant la bataille.

Neveu des frères Corneille, Fontenelle est connu pour sa longévité, seul centenaire (1657-1757) de la République des Lettres. C'est un philosophe préoccupé de sciences exactes. Selon lui, l'homme n'est plus le centre de l'univers, les idées anciennes ne sont pas par essence respectables. Pour que le progrès avance et que les lumières de la raison triomphent, Fontenelle s'astreint à être pédagogue, il convertit les théories qu'il connaît parfaitement en traités lisibles par un public averti. Il introduit en France la mathématique newtonienne et s'en ouvre aux académiciens ses confrères.

Les oracles et la religion

Le petit univers des salons connaît ses promenades nocturnes, puis de plus en plus de lecteurs curieux de nouveautés s'émerveillent devant les interprétations de l'univers que leur propose Fontenelle et s'interrogent avec lui sur les choses de ce monde-ci. En 1686, il fait paraître dans le journal de Pierre Bayle une *Relation de l'île de Bornéo,* critiquant sévèrement les religions et leurs querelles, puis une *Histoire des oracles* qui passe au crible de la raison et de l'analyse historique les croyances populaires et leur diffusion. On le savait critique (avec ses *Dialogues des morts* de 1683), précieux (avec ses *Poésies pastorales* publiées en 1688), on le voit maintenant impie, ce champion de la Raison toutes catégories.

Quel succès ! D'autant que les jésuites, *Journal de Trévoux* et le R. P. Baltus en tête, ont la bonne idée de le dénoncer, fort courtoisement il est vrai (*Réponse à l'Histoire des oracles de Monsieur de Fontenelle*, 1707). La bataille aurait pu être plus violente et plus cruelle, si Fontenelle avait été moins célèbre, moins soutenu, et moins bien conseillé. Jusqu'au lieutenant de police, D'Argenson, qui intervient pour le sauver de l'embastillement et le détourner d'une réponse à la *Réponse* qui aurait pu lui être fatale...

«Théâtromanie ?...»

Outre Fontenelle et les sciences, le théâtre occupe fort cette société privilégiée qui se retrouve dans les cafés et les salons...

Chaque soir, ses représentants s'en vont se placer au parterre pour les bourgeois, dans les loges pour les nobles dames et les «beaux messieurs», sur les banquettes de la scène (le «théâtre») pour les petits marquis. Là, on joue au moins autant qu'on voit jouer. Les actrices de la Comédie-Française (les troupes de Molière et de l'Hôtel de Bourgogne ont été réunies, par ordre du roi, en 1680) et celles de l'Opéra y attendent leurs courtisans. Le public observe les ballets et les intrigues des loges, évalue les regards des jeunes gens du «théâtre», vers la salle, apostrophe les comédiens et les connaissances pendant la pièce et risque quelques bons mots... brouhaha des mille cinq cents spectateurs.

L'horreur, merveilleux ressort du tragique

Sur ce qui reste de scène, les acteurs récitent du Crébillon tragique, sorte de tragédie fondée sur l'horreur que peuvent inspirer les méfaits des mythiques anciens. *Atrée et Thyeste,* en 1707, fait frémir les amateurs quand le héros découvre que la coupe qu'il va boire est pleine du sang de son fils. Les bienséances ne s'en offusquent point, le texte reste en alexandrins, légèrement aseptisés. Et n'est-ce pas Crébillon qui disait, comme pour se justifier : «Corneille a pris la Terre, Racine le Ciel, il me reste l'Enfer» ?

Les Comédiens Italiens remportent un succès de plus en plus affirmé tandis que le théâtre de la foire triomphe par son sens du spectacle. Watteau représente les Italiens (ci-dessous), avec Gilles (sorte de personnage de Pierrot) au centre, présenté par Mezzetin. On notera qu'ils ne portent plus de masques (sauf Arlequin, caché à gauche), et que l'amour semble leur priorité.

L'argent comique

En «baisser de rideau», après la reprise de Racine ou la création de Crébillon, il y a la comédie, qui passionne toujours les spectateurs. Il s'agit d'être vif, et de compter sur la rapidité des jeux de scène. En un acte et en prose, tout est dit, légèrement, grâce à Dancourt, à Dufresny, à Regnard ou à Lesage. Les auteurs sont bien décidés à suivre de près l'actualité et à critiquer

A partir de 1690, le roi ne paraît plus aux spectacles de comédie. Les Comédiens-Français sont chassés, en 1687, de la rue Guénégaud parce que dangereux pour les étudiants du collège voisin. Ils s'installeront en 1689 rue des Fossés-Saint-Germain.

les tendances du moment. Dans ce théâtre, on parle beaucoup d'argent : les agioteurs, les notaires pourris, les chevaliers entretenus par des maîtresses obligeantes, les financiers implacables, enfin les joueurs et les parvenus reviennent souvent, copieusement censurés. Dans *Turcaret ou le Financier* (1709), Lesage promeut un voleur venu du peuple aux dépens d'un «traitant» indélicat et imbécile : la société n'a plus aucune morale, et l'on veut en rire ! La plaisanterie ne sera cependant pas du goût de tout le monde : en ce froid hiver, l'accueil est glacé. La clientèle fortunée de la Comédie-Française (noble ou bourgeoise) n'apprécie pas la dénonciation de la «Ferme», ni le miroir qu'on lui tend et préfère *le Légataire universel* de Regnard, moins surprenant, plus rassurant.

C'est l'époque des «roués», illustrée par Hogarth en Angleterre, et contée par Lesage, dans le *Gil Blas de Santillane* qu'il commence à publier en 1715, sorte de compromis bien français entre le picaresque espagnol (l'Espagne revient à la mode en ces années) et le roman de mœurs naissant.

Les Caractères (1688-1692) de La Bruyère passent en revue l'ensemble de la société du temps. Ces pensées mondaines, immédiatement, font un triomphe.

Un léger parfum d'amertume

Le pessimisme règne là où les roués vont leur train. Pour La Bruyère, plus rien ne mérite le moindre enthousiasme, plus de héros, plus même d'anti-héros.

Le monde a finalement cédé aux passions qu'on observe avec rigueur. L'homme de bien est devenu une sorte de phare, une figure de convention qui présente une vertu abstraite à l'horizon du discours, comme s'il fallait ne pas désespérer tout à fait.

Amertume. Lorsqu'on se voit rejeté par un jeune duc (le fils de Condé, Louis de Bourbon) à qui l'on se proposait d'inculquer la morale et l'Histoire, lorsqu'on garde la bibliothèque de Chantilly faute de pouvoir devenir un grand précepteur, lorsqu'on dédaigne les beaux esprits parisiens au point que leur cabale vous interdit par trois fois d'entrer à l'Académie française, il y a de quoi être amer. Alors, le mépris, le dédain et la bile deviennent des armes fort tranchantes.

Enfin entré à l'Académie, La Bruyère fait scandale dans son discours de réception (15 juin 1693) : il loue avec éclat Bossuet, La Fontaine, Boileau et Racine, néglige de citer son prédécesseur, censure Corneille — oncle de Fontenelle — et les Modernes, enfin ne se montre reconnaissant qu'envers ceux qui ont tant intrigué pour qu'il devienne Immortel. On l'y déteste donc cordialement, d'autant que le grand succès des *Caractères* ne lui a pas fait que des amis...

Livres et lecteurs

Voilà donc ce qui occupait, entre 1661 et 1715, bien moins d'un cinquième des Français. Les autres cherchaient à survivre en craignant le Malin et en s'aidant des sorcières. Les quatre cinquièmes de la France restent à alphabétiser en 1685. Une bonne partie du pays s'exprime en une autre langue, les «pestes» et, ponctuellement, les flambées de colère désolent les provinces.

La police intervient en 1706 pour rappeler aux Italiens que leurs pièces, à la mode de Regnard, de Lesage (ci-dessus) et de Dufresny, ne doivent pas comporter de dialogues.

Le 14 mai 1697, malgré les plaintes des Italiens et leurs protestations de ferveur religieuse, leur théâtre ferme, les scellés sont posés et leur expulsion est décrétée. En 1702, une censure officielle est instituée pour surveiller les théâtres.

Atmosphère difficile, inquiète, violente, hivers glaciaux de la fin du siècle, croyances populaires à peine maîtrisées par la Contre-Réforme militante, ou favorisées.

Et parfois, au détour d'un texte, on croise la misère, la boue, l'émeute, la famine, ombres d'une réalité qu'on ne peut, ni ne veut, occulter...

Ceux qui lisent racontent parfois aux autres les histoires et les informations qu'ils ont glanées dans les minces brochures couvertes de papier bleu, fort mal imprimées, qu'ont acheminées les colporteurs. On s'évade avec eux dans le monde des paladins et des croisés, on en apprend de belles en matière de sciences «occultes», d'horoscopes ou de «prognostications», sur le temps de l'amour, de la guerre ou des vendanges !

Dans les grandes villes, les livres les plus lus traitent surtout de morale et de religion. On les lit pour savoir quoi faire, et quand. La direction de conscience, lorsqu'elle ne peut être particulière, faute d'argent, doit bien passer par l'écrit.

La longue marche des classiques, du XVIIe au XXe siècle

Ce n'est que vers 1761 que Voltaire utilisera «classique» — au sens que nous lui connaissons — pour désigner ceux qui s'appelaient eux-mêmes les Modernes. Ce n'est qu'au XIXe siècle que le classicisme s'impose comme corps de doctrine et comme désignation d'un courant littéraire, au moment même où Hugo puis Gautier en refusent les règles. Après les faits, l'image, et à présent, le mythe.

Mais la critique moderne revient sur les lieux communs du discours scolaire... Classicisme, terre de contrastes, mot qui résiste aux définitions schématiques. Des œuvres plus complexes que ce que le bon goût seul aurait pu susciter. Un roi peut-être plus sombre qu'on ne l'a dit, plus hanté du sentiment morbide de la fuite du temps que de celui d'une éternelle grandeur. Et dans les trente dernières et terribles années d'un trop long règne, des aspirations de plus en plus précises vers des futurs plus lumineux.

L'œuvre de Nicolas Poussin, père de l'académisme et théoricien passionné de son art, est la synthèse de la peinture du XVIIe siècle. Il allie les compositions baroques à l'ordonnance classique, reprend la finesse d'observation des maniéristes en ajoutant l'essentiel : la sensualité. Pour lui, la peinture est «une imitation faite avec des lignes et couleurs en quelque superficie de tout ce qui se voit sous le soleil. Sa fin est la délectation.»

La série des *Quatre Saisons* (1660-1664) est une allégorie, à partir de thèmes bibliques, de la vie humaine et de l'idéal de l'artiste. A la profusion du *Printemps*, à la gravité de *l'Été* (ci-contre) où s'aiment Ruth et Booz, à la fécondité de *l'Automne* (ci-dessous), succède le terrible *Hiver* (page 144), celui de l'âge, le déluge inquiétant, la grisaille mortelle zébrée par l'éclair glacial. Ne pouvant plus, au soir de sa vie, diversifier et raffiner le travail de son pinceau, Poussin utilise les défauts de sa main devenue malhabile en juxtaposant les touches de couleur, ce que le modernisme du XIXe siècle aura bien du mal à atteindre.

TÉMOIGNAGES ET DOCUMENTS

Une période «classique»?

Le classicisme passe pour le grand monument de la culture française. Ce peut être irritant, intimidant. Ce peut être aussi une occasion de comprendre pourquoi cette période a suscité tant d'admiration et tant d'outrages, tant d'ennui et tant d'enthousiasme.

Si l'on considère le XVIIe siècle par lui-même, à proprement parler il n'existe pas de mouvement littéraire classique (comme la Pléiade, le romantisme, le surréalisme, Dada, le Nouveau Roman, qui se nomment eux-mêmes) : il n'y a pas de manifeste «classique», pas de nom revendiqué par les auteurs que l'on dira «classiques». Le classicisme est donc plutôt un mythe qui dérive des nominations successives qu'on a faites des auteurs célèbres du XVIIe siècle et qui se constitue principalement aux XIXe et XXe siècles.

Le terme de «classique» est d'abord à prendre au sens premier, puisqu'en latin *classicus* signifie «de premier ordre», et notamment «citoyen de première classe». Cette idée d'excellence s'est maintenue encore aujourd'hui : un texte classique serait un «grand» texte, un texte incontournable, et l'on sait que, jusqu'au XVIe siècle, le mot «classique» ne signifie rien d'autre. Bien des textes du XVIIe siècle, monuments reconnus, sont donc des «classiques», et peu importe qu'on avalise ou non le principe de classification; c'est l'histoire qui a décidé, pas notre jugement. On peut à la rigueur se battre pour qu'ils disparaissent du rang des «chefs-d'œuvre», ou que l'idée de chef-d'œuvre disparaisse elle-même, mais on sera néanmoins obligé de considérer qu'elle a existé dans la critique littéraire au moins jusqu'au milieu du XXe siècle.

Au XVIIe siècle, le Dictionnaire de Richelet (1680) définit «classique» par «qui est digne d'être enseigné dans les classes». On dit alors que les auteurs de l'Antiquité, ou plutôt d'une partie de l'Antiquité (Ve siècle av. J.-C. pour les Grecs, Ier siècle pour les Latins) sont bien des «classiques», de même que certains auteurs modernes, comme Corneille et bientôt La Fontaine.

Ainsi, au XVIIIe siècle, l'enseignement poursuit l'idée en élaborant un palmarès des auteurs du XVIIe (Corneille, Molière, Racine, La Fontaine...), qui seront donnés comme des auteurs du «Siècle de Louis XIV», en sorte que s'établit l'équivalence entre classicisme français et littérature du XVIIe siècle. Mais c'est au XIXe siècle que «classique» se dérive objectivement en «classicisme», concept qui désigne alors les auteurs célèbres de la deuxième moitié du XVIIe siècle, ainsi que ceux qui les admirent ou les imitent (d'où l'opposition classique/romantique). Le classicisme est rejeté par les tenants du nouveau goût romantique ou au contraire exalté par les autres (on pourra voir l'essentiel de cette opposition dans le *Racine et Shakespeare* de Stendhal, en 1823).

Dans la deuxième moitié du XIXe siècle, la publication de la collection des «Grands Ecrivains de la France» sanctifiera, auprès de l'enseignement et de la critique, la légitimité des «grands auteurs», la supériorité des auteurs classiques du XVIIe siècle et l'autorité de la notion de classicisme (clarté, équilibre, concision, amour des règles). C'est également à cette période que l'on fait de l'âge classique, avec Taine en particulier, un état d'équilibre lié à la réalité politique de la monarchie absolue qui aurait eu peu à peu tendance à s'être asséché et rétréci, empêchant la véritable expression poétique des profondeurs et de l'individu. Ainsi, seuls Corneille, Molière, La Fontaine et Racine auraient échappé à la stérilité classique, grâce à leurs forts tempéraments : eux sont de bons classiques.

Enfin, la IIIe République, de 1880 à la fin des années 1930 et souvent au-delà, va donner une place très importante à la notion de classicisme en l'associant au «génie de la nation française». La littérature française enseignée dans l'école républicaine et laïque veut en effet fonder un esprit et une nation, et les classiques font alors partie d'un patrimoine qui fonde et détermine les caractères majeurs de la nation française : à l'équilibre et à la clarté du style correspondent la perfection de la langue nationale (et sa supériorité), l'indépendance de la France et sa grandeur… On peut parler alors, sans trop jouer sur les mots, de national-classicisme, surtout lorsque l'idéologie pétainiste s'emparera des grands noms du Siècle de Louis XIV pour les revendiquer.

Outre cette définition historique et politique du clacissisme, on conviendra néanmoins d'un certain nombre de traits communs aux œuvres de la période et sur lesquels repose la notion qui s'est longuement épanouie. Si les œuvres classiques sont devenues des modèles, c'est parce qu'elles ont été analysées comme porteuses d'une poétique fondée sur la clarté et l'ordre, elle-même établie sur une langue cohérente, équilibrée, simplifiée et harmonieuse. «Ordre, clarté, unité», sont donc les mots clefs, et à partir de ces notions, le pouvoir absolu se donne pour mission d'installer son bon goût dans les lettres et les arts. Les rigueurs de la raison s'appliquent à l'esthétique; il faut classer, hiérarchiser, contrôler, édicter des règles afin que tout auteur puisse reproduire l'idéal partagé par ses pairs et promulgué par le roi et ses censeurs. Le culte d'une Antiquité dûment adaptée aux idées contemporaines s'étend, et l'on cherche le beau, le simple, le vrai à partir d'Horace, d'Aristote, de Cicéron et de Virgile. Des règles de composition en découlent pour les genres littéraires comme pour les arts plastiques ou l'architecture. Le goût du grandiose et du majestueux s'y joint puisqu'on est bien conscient de vivre un moment majeur du rayonnement français, et Perrault se permet de comparer «le siècle de Louis et le siècle d'Auguste».

Cependant, il faut se méfier de l'image trop simpliste à laquelle des siècles de respect ont réduit cette période. Les différents courants qui ont marqué le début du XVIIe siècle n'ont pas disparu. Le développement des sciences, les voyages de plus en plus nombreux, le scepticisme des libertins, le doute cartésien, l'impact de la Révolution anglaise, les luttes religieuses animent et quelquefois compromettent ce bel équilibre.

Christian Biet

La prose «classique»

Devait-elle avouer? C'est une question qui est sur bien des lèvres depuis que la gazette de Donneau de Visé, Le Mercure galant, *l'a posée pour faire une sorte de promotion du roman qui frappe alors les esprits :* La Princesse de Clèves, *publié en 1678, sans nom d'auteur.*

On écrivit beaucoup pour donner son jugement et l'on s'arracha à la fois la gazette et l'ouvrage. Dans le même temps, il y eut, à ce propos, une querelle littéraire où s'échangèrent des visions radicalement différentes sur l'esthétique du roman; enfin, il y eut longtemps un doute sur l'identité de l'auteur : tout concourait donc au succès.

Une passion tragique

La fiction de ce roman est située en France, à la cour d'Henri II, juste avant les guerres de religion, avant l'effondrement d'un monde et du lignage des Valois. La magnificence et la galanterie règnent au Louvre lorsqu'une jeune fille, Mlle de Chartres, riche, de très haut lignage, orpheline de père, est entraînée à la cour par sa mère sévère pour y être mariée. Le fils du prince de Nevers en tombe amoureux, follement, en la rencontrant par hasard chez un bijoutier, mais ne peut être un bon parti tant la famille de Chartres et de Nevers sont opposées. Le prince de Guise, amoureux lui aussi, dut se plier à l'ordre familial et suivre son parcours de cadet en allant, comme chevalier de Malte, combattre les Maures. Quant au mariage avec le prince de Montpensier il ne put se faire, si bien que la jeune fille et sa mère se retrouvèrent bien seules après trois échecs matrimoniaux successifs. La mort du duc de Nevers permit au jeune cadet, Monsieur de Clèves, de laisser parler sa passion, d'enfreindre la règle politique et familiale, et d'épouser celle pour laquelle il concevait de la passion, ce que Mme de Chartres accepta. Passion dévorante pour l'un, amitié et affection conjugales pour l'autre, le mariage débutait sur des bases fort dangereuses, tant le cœur de la jeune femme restait infiniment disponible. Arriva alors le duc de Nemours, beau, important, aimé des femmes, conquérant, lors d'un bal donné à la cour, coup de foudre réciproque, passion soudaine, terrible sentiment de culpabilité de la part de la princesse, volonté de conquête de la part de Nemours, immense curiosité pour les acteurs de la cour, dont le roi. Mme de Clèves rougit, sent un nouvel émoi, résiste, s'agite, toujours observée par la cour et par son mari. Sa mère la prévient qu'elle est au bord du précipice. Mme de Clèves, de plus en plus proche de Nemours, toujours aimante, mais toujours fuyante, «exposée au milieu de la cour», décide alors de se mettre sous la protection de son mari et de se retirer à Coulommiers. Après ce premier aveu, Clèves, jaloux, brûlant de passion, la fait observer tandis que Nemours l'épie, la voyant, dans son pavillon retiré, rêver à un amour qu'elle a toujours refusé. Trompé par le récit de son espion, Clèves est certain que sa femme a rencontré Nemours et languit, au point de se laisser mourir. Il fait venir sa femme et la pousse à avouer son amour. Au moment où, tout en avouant qu'elle aime, elle affirme son inviolable fidélité, M. de Clèves meurt. Mme de Clèves ne suivra pas sa passion, au contraire de son mari, elle verra Nemours, lui dira tout son amour ainsi que sa résolution de n'y jamais céder : elle se retirera loin dans la province, consacrant une partie de son temps à prier dans une maison religieuse, et l'autre partie «dans des occupations plus saintes que celle des couvents les plus austères, et sa vie, qui fut assez courte, laissa des exemples de vertu inimitables.»

Le chef-d'œuvre d'une femme aristocrate

Madame de La Fayette (1634-1696) connaissait bien Paris, ses salons, sa conversation, et ses grands auteurs. Installée depuis 1661 à Paris, elle fréquente les milieux galants, les anciens frondeurs, les théoriciens de la langue et du texte. Proche de Huet, de Segrais et de La Rochefoucauld, mais aussi de Mme de Scudéry, ou de Ménage, elle a appris a parler des méandres du cœur, à guetter les dangers de l'amour-propre, et à discourir en une langue moderne et exigeante. Mariée, comme c'est la norme en ce temps, à un homme qu'elle voit peu, puis qu'elle ignore, ou qu'elle combat en justice, elle connaît bien les détours du système matrimonial. Aristocrate, Madame de La Fayette, lisait, conversait, mais aussi écrivait des nouvelles historiques, comme *La Princesse de Montpensier* (1662) où, derrière le filtre d'une histoire vieille d'à peine un siècle, on pouvait reconnaître les manières d'aimer, les passions et les conduites contemporaines, au point que les lecteurs y cherchaient des clefs. Cependant, parce que aristocrate, Mme de La Fayette, ne pouvait s'abaisser à signer ses œuvres de fiction moderne, ou même d'histoire : c'était l'affaire des hommes de lettres, des bourgeois et des hommes. Il aurait fallu écrire des mémoires ou tenir une correspondance, comme Mme de Sévigné qu'elle rencontre souvent, ou en rester au roman pastoral, ou au Grand Roman de Mlle de Scudéry, mais ne point innover, ni choquer. Pour toutes ces raisons, *La Princesse de Clèves* fut publiée de manière anonyme, et pour d'autres raisons, la critique, fort longtemps, ne put supporter qu'une femme écrivit un chef-d'œuvre. Comme on apprit très vite que Mme de La Fayette était la plume de cet ouvrage, on soupçonna aussi vite une supercherie ou une façade pour Huet, Segrais, La Rochefoucauld ou Ménage, et l'on ignora qu'en ce temps les textes étaient lus, travaillés, discutés ou réécrits à plusieurs, bénéficiant de plusieurs avis, pour enfin se voir publiés sous le nom d'un seul, ou de personne. Le récit de Mme de La Fayette appartient donc à son temps, même s'il offre une rupture dans l'esthétique du roman : il est l'œuvre d'une femme, aristocrate, parfaitement incluse dans les milieux littéraires du temps, et le résultat d'un débat entre elle et d'autres auteurs, hommes et femmes confondus.

Roman sur le mariage, *La Princesse de Clèves* est aussi un ouvrage sur l'horreur de la passion qui déchire, entraîne nécessairement à la faute, et ruine les corps et les cœurs.

C. B.

Corneille et Racine

Les deux auteurs dominent le genre tragique. Tragédie politique, admiration, coup de théâtre final et plaisir du calcul pour l'un; tragédie du cœur, compassion, simplicité et plaisir des pleurs pour l'autre. Deux modèles, deux écoles, deux publics.

Corneille et la complexité

Pierre Corneille, dont les premières tragédies sont écrites sous Louis XIII, sait parfaitement lier le travail esthétique et le plaisir de la disposition aux questions politiques, elle-mêmes aux prises avec le calcul et le machiavélisme. Au centre du dispositif, ses héros vacillent, hésitent, aiment et choisissent.

Depuis Longepierre puis La Bruyère, il est de coutume de se livrer à un parallèle entre Corneille et Racine : «celui-là peint les hommes comme ils devraient être, celui-ci les peint comme ils sont…», et La Bruyère de se livrer, finalement, à une défense de l'auteur d'*Andromaque* qui, au contraire de son aîné, sait abandonner l'instruction froide et l'élévation grandiose, pour plaire, remuer et toucher, pour s'inspirer de la légèreté d'Euripide et de son naturel en s'éloignant des maximes et des règles du partisan de Sophocle.

Corneille part, dans la plupart de ses tragédies, d'une donnée historique qu'il revendique avec éclat en précisant qu'elle est le gage de la vérité – et pas seulement de la vraisemblance. Cette donnée historique est la matrice tragique du texte dramatique et suppose au moins un péril extrême pour le héros. C'est à partir de ce péril et de la résolution de ce péril que s'ordonne l'intrigue.

Ton impudence.
Téméraire vieillard, aura sa récompence.

Dès lors, tout doit s'ordonner à partir de l'action principale, du péril majeur déterminé et de la situation finale prise dans l'Histoire. En outre, la donnée de départ doit reposer sur un paradoxe : Horace est un héros qui sauve sa cité et qui tue sa sœur, Cinna est un héros vertueux que sa vertu oblige à tuer un père adoptif, lui aussi vertueux, et l'on verra que, jusqu'au bout, Corneille utilisera ce système (Suréna est un héros vertueux irréprochable innocent et coupable face à un roi vertueux, légitime et meurtrier). Et c'est véritablement au long de cette structure que Corneille va ajouter des épisodes, nécessairement reliés les uns aux autres et reliés à l'action principale afin d'acheminer le spectateur et l'intrigue vers sa fin.

C'est à ce prix que l'action sera cohérente, vraie (la donnée historique l'atteste), vraisemblable du point de vue théâtral (il n'y a que des actions nécessaires pour arriver au dénouement), cohérente et vraisemblable du point de vue du spectateur (les pensées, les caractères, les mœurs ne choquent pas son univers; le lieu et le temps sont en rapport direct avec les siens), et les bienséances sont ainsi respectées.

Pourront s'ajouter des incidents surprenants, des effets de symétrie, des coups de théâtre, des effets de suspension, et une certaine complexité technique qui tient le spectateur en haleine. On peut donc s'acheminer vers la fin en «embellissant» l'intrigue avec des développements éthiques, politiques, avec des discours poétiques sur l'amour ou des tirades élevées qui reposent sur la force du raisonnement, mais aussi, plus tard – dans *Héraclius* par exemple –, en embarrassant l'action d'attendus complexes qui font toute son ampleur.

Si bien que l'action, cohérente et embellie, mais dont toutes les tentatives de résolution ont échoué, va jusqu'au bout de la donnée initiale tout en conservant le paradoxe que seul le dénouement permet de résoudre, en tout ou en partie. Et comme la situation de départ, qui figurait déjà un blocage, est de plus en plus bloquée, il faut imaginer un véritable coup de théâtre pour sortir du conflit, un coup de théâtre qui permet l'admiration du spectateur. Le péril extrême qui menaçait le héros est renversé, le pathétique, l'émotion d'admiration peuvent naître et s'étendre (Horace, Cinna) ou bien le péril extrême peut se réaliser et l'émotion d'admiration dans la pitié peut s'ordonner autour de l'échec du héros (Suréna).

Ainsi, l'action est complète et achevée et, dans l'événement qui la termine, «Le spectateur doit être si bien instruit des sentiments de tous ceux qui y ont eu quelque part, qu'il sorte l'esprit en repos et ne soit plus en doute de rien» (Corneille, *Œuvres complètes*, III).

Corneille s'intéresse à l'Histoire et à l'action en utilisant des personnages illustres pour rendre les actions extrêmes d'autant plus représentatives. Il montre ainsi que tout homme est à même d'être pris dans un réseau d'événements extraordinaires, peut s'y débattre, tomber, sortir des crises qu'elle engendre par sa volonté aidée par de providentiels coups de théâtre, ou bien sombrer parce que ni providence ni volonté ne sont plus possibles. Mais il montre aussi que le jeu de la tragédie consiste à présenter le réseau lui-même, la complexité du monde et des volontés humaines face au héros qui cherche à en résoudre les contradictions. Corneille donne à voir le spectacle de la volonté humaine (au travers d'un personnage illustre) saisie dans la dynamique du combat. D'où cette fascination pour ce combat et pour cette dynamique, pour le «mouvement des passions» figuré par les personnages et l'admiration qu'elle entraîne pour le spectateur non point pour la solution plus ou moins harmonieuse, mais pour la dynamique précisément, et la représentation des méandres de l'intrigue et des sentiments.

C. B.

Racine et la simplicité

Racine, lui, est un artiste désireux de tenter des expériences dramaturgiques diverses, mais n'est pas un auteur de théâtre, ou pas seulement. C'est aussi un homme de carrière qui quittera le théâtre lorsque Louis XIV lui proposera de contribuer à sa gloire en devenant historiographe, statut bien plus enviable que celui de poète dramatique.

Racine excelle et s'acharne, pour chaque pièce, chaque tentative, à approfondir le choix qu'il s'est fixé en le radicalisant. Extrême simplicité (*Bérénice*), volonté extrême de composer une tragédie héroïque propre à son temps (*Mithridate*), Racine, en fait, essaie, s'essaie, pour réussir.

Le théâtre de Racine ouvre à tout coup sur une crise. Tout est, ou pourrait être, déjà terminé lorsque la pièce commence au milieu d'un dialogue ou d'un discours. La tragédie racinienne s'ouvre donc sur une crise – c'est le rôle de la scène d'exposition –, la développe et l'amplifie par degrés – c'est le rôle des trois ou quatre premiers actes –, et provoque une catastrophe sous forme de dévoilement – c'est le rôle du dénouement – pour déplorer l'horreur du dénouement ou se débattre avec l'idée qu'il est nécessaire de refermer la crise ou de la laisser telle.

Il est donc clair que Racine connaît fort bien dès ses débuts les règles de la tragédie, longuement mûries durant tout le siècle, mais sait en jouer, les suit précisément ou s'en écarte un peu, à chaque tragédie, selon les expériences qu'il tente. Dans le choix des sujets, il veille à la conformité : l'Histoire ou la Fable, ou bien «l'éloignement des pays qui répare en quelque sorte la trop grande proximité de temps» (*Bajazet*). Son action est toujours complète et unifiée : les épisodes secondaires, lorsqu'il y en a, prennent naissance et prennent fin en même temps que l'action principale; les fils de l'action sont entrelacés de telle manière que chaque intrigue accessoire exerce une influence sur le déroulement de l'intrigue principale. L'unité de temps n'excède pas les règles de la vraisemblance et la durée de l'action s'approche au plus près de celle de la représentation et se voit généralement rappelée plusieurs fois dans le cours de la pièce, par des notations temporelles. L'unité de lieu est généralement respectée et enferme les personnages dans le cercle étroit de leurs passions funestes. Les mœurs du personnage tragique sont conformes aux valeurs qu'on attend de son rang et conviennent à son statut. Si bien que le public accorde son adhésion sous réserve que rien ne soit trop hardi, ni éloigné de la vraisemblance.

Ainsi, à chaque pièce, Racine se livre à une tentative particulière, spécifique au genre. C'est peut-être grâce à cette notion d'expérience ou d'expérimentation théâtrale qu'on peut expliquer que *Bérénice* et *Bajazet* ou *Mithridate* soient dramaturgiquement si différentes. À l'extrême simplicité, à la stratégie d'économie succèdent le trouble et le labyrinthe des intrigues. Le caractère novateur d'une tragédie de 1506 vers est ainsi suivi d'une acception contemporaine de la tragédie utilisant tous les ressorts du genre, du style épique à la comédie renversée et à la tragédie héroïque. Racine semble pourtant aller à chaque fois au plus loin de la tentative en radicalisant ses choix esthétiques, comme pour épuiser des contraintes préalablement fixées. Racine écrirait ainsi une «rhapsodie» (au sens

ANDROMAQVE.

du XVIIe siècle) de pièces qui, mises bout à bout, formeraient une suite d'essais autonomes dans le genre tragique, tous différents, et tous «cousus ensemble».

Pourtant, ce qui ne le quitte plus depuis au moins sa tragédie d'*Andromaque*, c'est son style galant, son image d'auteur galant : le public va pleurer chez Racine. C'est sa compétence à émouvoir par le poème tragique qui le place en grand maître tragique, plus que tout autre chose. Qu'ils soient Grecs, Romains ou Orientaux, ses personnages s'inscrivent directement dans l'humeur contemporaine de la cour et des salons au point que ses adversaires lui reprochent de transformer les héros les plus nobles de l'Histoire et les monstres mythiques en charmants bergers. C'est évidemment une donnée de la réception que nous ne pouvons ignorer, que l'auteur maintenant célèbre se coule dans le milieu qu'il entend prioritairement séduire, d'où sa brillante carrière.

Ce que l'univers de Racine a de frappant, c'est aussi qu'il ne livre aucune leçon certaine. Le théâtre, par définition, n'est pas un essai et laisse par nature s'exprimer des positions différentes simultanément. La combinatoire de ces positions peut, mais sans nécessité, aboutir à une démonstration ou à une leçon. Racine sait tout cela et joue de tout cela. Les personnages qu'il fait évoluer sur scène n'ont jamais toute la légitimité, ni toute la force, ni tout l'éclat qu'il faudrait pour laisser espérer un triomphe des valeurs positives, quelles qu'elles soient.

Il y a toujours un manque, un soupçon, un échec chez Racine, une faille du héros qui l'empêche de vaincre et de transformer le monde, une impossibilité de la volonté à aboutir totalement à sa fin. Et même si les monstres ou les tenants du machiavélisme les plus noirs sont exécutés par les pièces ou condamnés par contumace, les situations finales ne sont en rien capables d'ouvrir un espoir pour la Cité, pour l'Homme ou pour la vertu. Faut-il y voir un pessimisme janséniste, l'expression d'une faillite politique, un doute radical? De nombreux critiques ont tranché bravement la question en livrant leur interprétation, souvent tout aussi radicale. Peut-être faudrait-il plutôt partir de l'idée que si, esthétiquement, Racine s'adresse à un public mondain, politiquement, il a pour référence naturelle et obligée le souverain régnant, et que les deux garants de son spectacle (le public mondain et la cour du souverain) ne s'excluent pas.

C. B.

Le théâtre et les tragédies : mouvement et tentatives de modélisation

Le théâtre, comme lieu et comme genre, est, au début du XVIIe siècle, en plein renouvellement. Si l'on fixe des normes, si l'on édicte des règles, en particulier pour la tragédie, on convient aussi du fait que règne une grande diversité de goûts et de publics.

La tragédie est un spectacle divers, tout aussi divers que ses publics. On appelle «tragédie», «tragédie lyrique» ou «tragédie mêlée de musique et de danse», les spectacles d'opéra et de ballets comiques. Perrault, en 1674, verra dans l'opéra la restauration authentique de la tragédie grecque puisqu'il convoquera la danse, la musique et le chant aux côtés du discours.

La tragédie est donc un code général composé de genres variés. Cependant le lyrisme quitte peu à peu les formes habituelles de la tragédie (tragédie lyrique, pièces à machines, tragi-comédie) pour entrer pleinement dans l'opéra des années 1670.

On citera donc, au nombre des tragédies :

Les tragédies de collèges

Elles sont des pièces que les Oratoriens et les Jésuites utilisent pour leur pédagogie. Il y sera toujours question de livrer une réflexion morale ou religieuse transcrivant une lutte contre l'esprit du Mal. On réécrit l'histoire romaine, les mythes antiques, les épisodes bibliques et les vies de saints à la lumière de la Providence afin que les jeunes acteurs (des garçons uniquement habillés en hommes) exercent leur mémoire, apprennent le maintien et célèbrent la moralité dans leurs cérémonies de fin d'études. Cependant, cette transcription qui se fait aussi bien, au début du siècle, par le discours, en latin ou en français, que par la danse, les effets scéniques, les machines impressionnantes, les métamorphoses d'habillage et la musique, devient plus simple, plus discrète, en un mot plus «classique» après 1670 : moins d'acteurs, moins de machines, une certaine laïcisation morale des sujets traités. On sait que Racine s'autorisera de la pratique des tragédies de collèges pour composer ses deux dernières tragédies (*Esther*, 1689 et *Athalie*, 1691), en liant, pour les jeunes filles de Saint-Cyr gouvernées par Mme de Maintenon, le chœur et le chant avec l'action.

La pastorale dramatique

Très en vogue dans les années 1630, elle se caractérise par son cadre champêtre, ses personnages de bergers et sa structure propre à évoquer le thème de l'amour contrarié : A aime B qui aime C qui aime D et, en fin de pièce, les couples peuvent enfin se former (A/B, C/D ou A/D, C/B) grâce à un coup de théâtre, une reconnaissance ou une révélation. Ce genre, venu d'Italie au XVIe siècle (*L'Aminta* du Tasse et *Le Berger fidèle*, *Il Pastor fido* de Guarini) passe en France vers 1585, profite de la gloire du poème d'Honoré d'Urfé, *L'Astrée*, et se développe en tragi-comédie pastorale, comédie pastorale et autre tragédie pastorale. C'est un genre très plastique qui permet en effet une récupération par la comédie comme par le ballet et, plus tard, l'opéra.

La tragi-comédie

Elle est censée être une tragédie à fin heureuse, selon d'Aubignac. Mais cette définition peut parfois convenir aussi à la tragédie. On pourrait donc affirmer que la tragi-comédie, très pratiquée dans les années 1630, est plutôt une sorte de croisement entre la tragédie et la comédie qui ne suit pas précisément les dogmes aristotéliciens et s'adresse à un public friand d'inventions.
Les intrigues supposent que les héros principaux soient de rang élevé, mais n'empêchent pas qu'on y mélange toutes les origines sociales; l'action se passe dans des lieux divers; une grande place est laissée au hasard et à l'aventure, si bien que les fables peuvent paraître discontinues, empruntant au roman de l'époque l'héroïsme, le lyrisme et la fascination pour la complexité.

La tragédie à machines

Les heures de gloire vont de 1650 à 1675 (l'opéra la remplacera). La tragédie à machines lie clairement l'action aux «ornements» pour faire pièce aux opéras italiens adulés par Mazarin. Il s'agit de représenter des tableaux étonnants, des apparitions célestes et divines (Vénus, Éole, Junon…), terribles

et funestes (bouches d'enfer, Pluton…), tout en faisant en sorte que ces machines soient les instruments des obstacles ou des retournements.
Les «gloires» y font merveille : ce sont des machines composées de nacelles camouflées par des «nuées» – petits nuages peints – grâce auxquelles les comédiens peuvent monter et descendre des cintres en dirigeant des équipages de chevaux, de griffons ou d'oiseaux géants. Toutefois, si dans *Andromède* (1650) Corneille veille à la liaison du spectacle et de la fable, il est bien souvent clair que l'histoire devient un prétexte à la mise en place sur la scène des effets spéciaux les plus merveilleux. La musique et la danse, les chœurs aussi, viennent soutenir la machinerie et couvrir les bruits des poulies et des cordes nécessaires au déplacement des décors. L'intérêt était tel pour les machines que, peu à peu, tous les théâtres parisiens s'équipent d'une machinerie et d'un dispositif scénique capable de les accueillir.

La tragédie régulière

Elle se met en place au XVIIe siècle, mais elle est loin d'être majoritaire. La tragédie qu'on appelle «classique» reste cependant l'emblème du XVIIe siècle. C'est une pièce de théâtre en cinq actes, en alexandrins classiques, dont le sujet est le plus souvent emprunté à la Fable (la mythologie) ou à l'Histoire, mettant en scène des personnages illustres et représentant une action dont le but revendiqué est d'exciter la terreur et la pitié par le spectacle des passions humaines et des catastrophes qui en sont la fatale conséquence. Ce faisant, la tragédie est d'abord un code esthétique ou plutôt un système de représentation et n'est pas nécessairement tragique. Le tragique est une notion antique ou moderne qui ne s'accorde en effet pas toujours avec les pièces nommées tragédies à l'époque classique. Il faudra donc, avant tout, considérer le système théorique et pratique de la tragédie française.

C'est à partir d'un personnel restreint, d'une somme finie de personnages, que la tragédie fait porter son discours poétique et qu'elle entend représenter le monde. Le conflit est au cœur de l'intrigue. Un crise s'ouvre sur un conflit : conflit de l'homme avec les dieux, conflit des hommes entre eux, conflit de l'homme avec lui-même. Pour garantir l'effet de crainte, le poème dramatique est soumis à des règles. Loin de brider l'imagination du poète, ces «règles» contraignantes ont pour fonction, dès les origines, de concentrer

Décor de la pièce *Andromède*, de Corneille.

l'émotion : il s'agit de faire vite et fort. Unité de lieu, de temps et d'action : l'attention du spectateur ne doit pas se disperser.

A cette règle des trois unités, les dramaturges du Grand Siècle ajoutent deux autres règles nécessaires au nouveau goût d'une époque avide de raison et d'ordre : la bienséance et la vraisemblance, qui serviront à canaliser certains débordements de langage et d'imagination que la nouvelle sensibilité ne supportait plus. La tragédie dénoue ainsi sous nos yeux une crise dont l'issue est presque toujours sanglante (mais pas toujours) car la fatalité des dieux ou des passions conduit les personnages à leur perte (en particulier chez Racine). D'autre part, les auteurs souhaitent viser une finalité moralisatrice plus ou moins nette, capable, sous le couvert du plaisir pris à l'émotion, d'instruire le public. Les passions n'y sont présentées aux yeux des spectateurs que pour montrer tout le désordre dont elles sont la cause, et le vice y est peint partout avec des couleurs qui en font connaître et haïr la difformité. C'est là proprement, selon le théoriciens et les praticiens du théâtre, le but que tout homme qui travaille pour le public doit en principe se proposer.

«Ce n'est point nécessité qu'il y ait du sang et des morts dans une tragédie; il suffit que l'action en soit grande, que les acteurs en soient héroïques, que les passions y soient excitées, et que tout s'y ressente de cette tristesse majestueuse qui fait tout le plaisir de la tragédie» (Racine, préface de *Bérénice*).

C'est à partir d'exemples mythologiques et historiques que la tragédie travaille, autour de «cas» figurés par des personnages appartenant à des familles situées au sommet de la hiérarchie des Etats. Les fables tragiques prennent donc leur argument de l'Antiquité (ou, plus rarement d'un Orient de convention, comme dans *Bajazet*), mais se donnent aussi pour nécessité de parler de la contemporanéité.

Les deux références – la référence aux institutions grecques ou romaines et la référence aux institutions françaises, contemporaines aux auteurs – se mêlent et informent le texte au sein d'une perpétuelle interaction. Le renvoi aux données contemporaines laisse le spectateur interpréter, pour lui-même et pour la société dans laquelle il vit, l'histoire ou la fable ancienne telle qu'elle est représentée; parallèlement l'«héllénité» ou la «romanité» permet la distance. C'est sur ce double jeu référentiel que la tragédie classique fonctionne, sur la distance, sur l'«art de l'éloignement» (Th. Pavel), et sur l'adéquation de cette distance au réel du spectateur et de l'auteur. C'est donc précisément parce que Horace, Cinna, Titus ou Phèdre ne sont pas contemporains que le spectateur peut se reconnaître. Parce qu'il fait ce travail d'adéquation, de réflexion, et qu'il en a du plaisir. Le plaisir du spectateur consiste ainsi à établir un système de reconnaissance fondé sur la vraisemblance, et qui se situe à l'intérieur du processus de la distance ou de l'éloignement. Et cette vraisemblance s'arrime à la fois sur le passé et la connaissance qu'on en a, et sur le présent esthétique, politique, philosophique et religieux. C'est d'ailleurs à ce prix et à ce prix seulement, grâce à la distance et à l'adéquation qu'elle permet, que la tragédie pourra s'exprimer sur le futur, gage de son autorité.

Nous retrouverons donc dans ces textes les données antiques politiques, juridiques et plus largement idéologiques, disponibles à une analyse inscrite dans le temps présent.

C. B.

La tragédie lyrique

Jean Duron, musicologue et directeur du Centre de Musique baroque de Versailles, rappelle les dettes de la tragédie lyrique à l'égard des genres qui la précèdent.

Ainsi fut créée la tragédie lyrique de la volonté de deux hommes, Jean-Baptiste Lully et Philippe Quinault, et par le moyen d'une institution, l'Académie royale de Musique. On a beaucoup glosé sur ce genre qui tirait ses origines tout à la fois du ballet de cour, de l'air de cour, de la tragédie déclamée, de l'opéra italien... Certes. Et il faudrait encore ajouter à cette liste – en prenant le risque d'une trop longue énumération – le divertissement de cour, l'opéra de collège, la pastorale et les musiques pour la scène... Constituée d'élément divers rassemblant les pratiques musicales et théâtrales du temps, la danse et le chant, le décor et la machinerie, le merveilleux et le réel, la tragédie lyrique semble aussi et avant tout une projection de la vie de cour sur la scène : on peut la voir comme un miroir de cette société, elle-même en représentation permanente, comme le remarque à juste titre Philippe Beaussant. Le prologue permet la transition du réel au spectacle : c'est la poursuite du cérémonial ordinaire permettant à l'artiste de prendre sa place sur la scène, supplantant un instant celle du souverain et de ses courtisans. La tragédie lyrique fonctionne sur ce rapport de l'illusion au réel, dans un monde parfaitement hiérarchisé depuis les peuples jusques aux dieux; comme dans la mythologie, chaque couche possède ses règles immuables : la tragédie lyrique, peut-être mieux que le théâtre déclamé, monte l'ordre de ce monde, simplifie à l'extrême le rapport de l'adorant à l'adoré, du protégé à son protecteur. Les peuples sont là pour pleurer ou acclamer, pour jouir ou fuir, épousant es états d'âme successifs de leur prince. Si, loin d'eux, les dieux peuvent paraître quelques instants sous des traits humains, éprouvant amour ou haine, ils rejoignent vite l'Olympe d'où ils observent avec quelque condescendance l'aventure humaine : le temps de l'histoire terrestre ne peut pas être à l'échelle de l'histoire éternelle. Les dieux reprennent leur place avant la fin du spectacle – comme Cybèle à la fin d'*Atys* –, sans être affectés par leurs décisions. Ils gouvernent et régissent le monde. Seuls les princes semblent véritablement humains dans ce contexte, contraints de servir et leur peuple et leurs dieux. C'est la grande affaire de la tragédie lyrique que de pouvoir représenter les peuples (grâce au chœur) et les dieux (par le truchement des machines) : son «champ d'action» semble élargi par rapport à celui de la tragédie déclamée.

Jean Duron,
«L'Instinct de M. de Lully»,
in *La Tragédie lyrique*,
in Les Carnets du théâtre
des Champs-Élysées, Cicero, Paris, 1991

Catherine Kintzler, philosophe et musicologue, s'interroge sur le rapport entre l'aspect théâtral de l'opéra français naissant.

Lorsqu'on se prend à le considérer, on comprend que l'opéra français est avant tout un objet pensé et programmé, un objet intellectuel dont l'essence précède l'existence, issu de douze ans de rumination. Dès son apparition, c'est comme objet littéraire qu'il est jugé et interpellé : est-ce vraiment un théâtre?

Le problème, c'est justement tout ce temps écoulé. Car, à bien y réfléchir, tous les ingrédients étaient réunis pour une éclosion beaucoup plus précoce. La musique, l'écriture dramatique, le théâtre à machines et le théâtre merveilleux : rien de cela n'a de secret pour les Français. On doit souligner tout particulièrement l'importance de Corneille, véritable penseur de la poétique fabuleuse. Il faut ajouter à cela une spécialité qui pouvait distinguer les Français des Italiens : la danse, l'art du ballet. En outre, de nombreuses formes, tant littéraires (comme les *topos* de la pastorale et ceux de la tragédie sanglante) que musicales vont être réutilisées, réorganisées, unifiées et repensées par la tragédie lyrique : un commencement n'est pas toujours une origine. La tragédie lyrique n'innove pas tellement dans son contenu : c'est une révélation poétique, un coup de génie dans la formule. Enfin la volonté politique, elle aussi, est bien présente. Alors, pourquoi si longtemps?

Un obstacle d'ordre intellectuel a dû se dresser. La nature et la réduction de cet obstacle permettent de comprendre pourquoi l'opéra français apparaît principalement à travers la forme prégnante de la tragédie, et pourquoi il est si fortement intellectualisé.

L'exigence, le mot d'ordre «il faut faire un opéra» (sous entendu, mais cela va de soi : un opéra qui sera plus beau, plus éblouissant que celui des Italiens, un *autre* opéra), cette exigence se présente elle-même comme obstacle parce qu'elle ne pouvait être comprise en France que sous la forme d'un *défi* extrêmement difficile à relever. Ce défi est double. L'un de ses aspects relève du concept de *théâtre*, l'autre, du concept d'*opéra*. Un défi poétique; un défi musical.

Catherine Kintzler,
«La Tragédie lyrique et le double défi d'un théâtre classique»,
in *La Tragédie lyrique*, in Les Carnets du théâtre des Champs-Elysées,
Cicero, Paris, 1991

Une scène de l'opéra *Atys* par Lully.

Molière et la comédie

Pour le chef de troupe Jean-Baptiste Poquelin, la comédie se définit d'abord par la pratique et se donne pour but de faire rire «les honnêtes gens», mais rire, c'est rire de tout…

En 1548 les Parlements interdirent la représentation des *Mystères*, ce qui paradoxalement entraîna l'essor du théâtre profane et d'abord de la farce. Forme courte, la farce se jouait, dans les théâtres, avant une tragi-comédie ou une tragédie, voire une comédie. A l'Hôtel de Bourgogne, trois acteurs furent célèbres : Gros-Guillaume, Gaultier-Garguille et Turlupin et aussi Tabarin, farceur de Foire près du Pont-Neuf. Vinrent ensuite, dans les bagages des reines italiennes, les troupes transalpines avec leurs comédies italiennes écrites ou non, sur lesquelles les comédiens dell'arte improvisaient. Peu à peu, la comédie française se sépara de la farce, ou inventa une spécificité, en particulier sous l'impulsion de Corneille qui voulut faire une comédie pour les honnêtes gens, avec *Mélite* en 1629. Simultanément, la comédie d'intrigue imitée de la *comedia* espagnole, avec Rotrou, Boisrobert, D'Ouville, remportait un grand succès. Ce ne fut donc que peu à peu que la comédie, qu'on appela ensuite «la grande comédie», se mit en place, en particulier avec Molière. A ceci près que Molière n'avait ni l'idée, ni l'intention d'en faire, toujours porté à la farce comme au sérieux, tendu vers le plaisir du spectateur, et apôtre de la liberté et de la diversité.

La comédie est fondamentalement hétérogène. D'une part elle a pour objet, en principe, de corriger les hommes, peindre les mœurs, présenter les travers, les ridicules, au cours de circonstances généralement plaisantes. En cela elle plaît, elle charme et elle entraîne à la vertu. D'autre part, avec Molière, les comédiens italiens et les farceurs dont il se réclame, la comédie doit faire rire. Mais le danger est que le rire corrompt tout et entraîne tout sur son passage, les petits ridicules comme les grandes certitudes. Il faudra donc, au moins dans les apparences, faire en sorte que le rire soit celui des «honnêtes gens» : Molière s'est défendu d'être gratuit, sans morale, ou tout entier tourné vers le plaisir. Le rire, vertu curative, aurait alors pour effet d'instruire sur les travers du monde, de souligner le ridicule des obsessions pathologiques et de déterminer les spectateurs à les exclure de leur univers…

Cependant, la comédie de Molière ne tient pas ses promesses morales, car le rire est toujours immoral, si l'on veut bien y prendre garde, et la valeur proprement didactique du ridicule laisse bien souvent place au plaisir de la description. Le plaisir, comme le rire, érodent, et lorsqu'ils sont au contact de la leçon morale, l'érodent même s'ils ne s'en prennent pas nommément à elle, par simple capillarité. Le plaisir de reconnaître les autres et de se reconnaître soi, de se moquer de soi et de ceux que l'on reconnaît, de voir les traits forcés jusqu'à la caricature, jusqu'au type, est aussi plaisir philosophique et moral, celui de tout envisager sous l'angle de la critique et du rire : un plaisir qui sent fort le libertinage. Pour corriger les mœurs et dénoncer les erreurs, il faut les représenter, plaire et faire rire, et l'essentiel prétendu, la leçon morale, disparaît soudain derrière le hoquet, la grimace du visage, le relâchement voluptueux du corps. Et il ne faut plus s'étonner que dans *Tartuffe*, *Dom Juan* et dans bien d'autres pièces, on aille jusqu'à se moquer de Dieu, du sacré et de ceux qui y croient.

La nature et le naturel

Si la comédie imite la nature, si elle la reproduit, elle a pour but principal de représenter des personnages «dénaturés», et le pire est que ces personnages-là plaisent infiniment plus que les autres, les personnages moraux, sans excès, les raisonneurs, auxquels d'ailleurs les pièces donnent tort. La nature que la comédie imite est la réalité des conduites humaines qui la trahissent, et, par conséquent, les aberrations qui font rire les spectateurs. Le ridicule et le rire viennent donc contester les normes, les croyances, les références réputées sacrées. Le bon sens, l'harmonie, la raison, les vérités moyennes volent en éclat devant les débordements des «fous», des «malades» et des «ridicules», mais aussi des provocateurs comme Dom Juan ou Alceste. Molière est avant tout fondé à «être contre», et à en rire : contre les règles quelles qu'elles soient, contre la rectitude crispée de Corneille qui n'est plus dans son camp et qui participe à la bataille qu'on mène contre lui, contre le ton et le jeu des Grands Comédiens et qu'il ridiculise en les transformant en personnages comiques, contre les modèles philosophiques de toute sorte, système cartésien en tête. Molière ne veut ni ne peut s'intégrer dans un système.

Le théâtre, lui, permet à la société représentée sur scène de laisser le fou vivre sa folie par l'artifice sans se prononcer sur la vérité morale, sans proposer un véritable système social, ou plutôt en montrant que tout est illusoire et qu'on peut en rire. Molière divertit sans pécher, en toute impunité puisque tout est admissible par l'illusion et la représentation. Impunément, il s'est moqué des choses les plus sacrées, de la vérité et du théâtre lui-même. En supprimant la notion de péché dans le divertissement, il s'offre ainsi la possibilité de dire cette vérité première qu'il n'y a ni dogme ni vérité qui ne soit à l'abri du rire et qu'il faut pourtant admettre, par convention arbitraire que le monde est vivable, quoi qu'on en pense, et qu'on doit l'accepter par provision, mais sans illusion.

C. B.

La mort de Molière et celle de Lully

Philippe Beaussant, dans Lully ou le musicien du soleil, *compare les deux morts célèbres du comédien auteur et du musicien. Tous deux déchus, en disgrâce, tous deux sans cesse à la recherche d'un «art total», tous deux malades. Et pour ces deux hommes, la légende a fait le reste…*

Faut-il comparer la mort de Molière et celle de Lully? Tout les oppose : et pourtant... L'année 1672, Molière a attendu en vain sa gratification annuelle. Il a attendu en vain l'ordre du roi de lui jouer, comme chaque année, sa nouvelle pièce. L'ordre n'est pas venu. Molière a fini par se résoudre à créer *Le Malade imaginaire* à Paris, dans ce même théâtre où sera jouée *Armide*. Il n'y a pas de lettre de Molière au roi : il y a seulement le Prologue du *Malade*, cet incroyable Prologue où l'on n'entend pas moins de neuf fois le nom de LOUIS (en majuscules), et dans quels termes. Ce sont les mêmes.

Ce qu'on fait pour LOUIS, on ne les perd jamais.

Est-ce sûr? Qui faut-il en convaincre? On croirait une incantation.

Le Chœur

Joignons tous dans ces bois
Nos flûtes et nos voix;
Ce jour nous y convie,
Et faisons aux échos redire mille fois
LOUIS est le plus grand des rois
Heureux! Heureux qui peut lui consacrer sa vie!

Lui consacrer sa vie? Molière meurt à la quatrième représentation, et Lully répond en écho, quatorze ans plus tard : «Que me sert-il, Sire, d'avoir fait tant d'efforts. [...] Ce n'est qu'à vous, Sire, que je veux consacrer. [...]» Comme si on pouvait mourir du silence du roi.

La comparaison s'arrête là : car ensuite tout diffère. Pour un homme de théâtre, le moment de la mort était en ce temps redoutable. Molière l'avait bien vu, quand le curé de Saint-Eustache avait refusé de se déplacer pour lui porter l'extrême-onction... Il vint un prêtre pour Lully. L'honnête et sincère Molière est mort sans sacrements et excommunié : il fallut qu'Armande suppliât le roi à genoux pour obtenir un enterrement escamoté, de nuit. Lully aura son mausolée à Notre-Dame-des-Victoires, où il est encore. Il est vrai qu'il n'avait pas écrit *Tartuffe*...

Un prêtre vint donc trouver Lully sur son lit de mort et lui posa ses conditions. C'est la dernière scène, et ce n'est pas la moins bonne du Signor Chiacchiarone :

«On n'ignorait pas, raconte Lecerf de La Viéville, qu'il travailloit toûjours à quelque nouvelle Piéce. Son confesseur lui dit tout net, qu'à moins qu'il ne jettât

*au feu ce qu'il avait de noté de son Opéra nouveau, afin de montrer qu'il se repentoit de tous les Opéra passez, il n'y avoit point d'absolution à esperer. Lulli s'en défendoit; mais se peut-on défendre au moment où ils vous prennent? Après quelque resistance Lulli acquiesça, et montra du doigt un tiroir où étoient les morceaux d'*Achille et Polixene *qu'il avoir fait copier au net. Les voilà pris et brûlez, et le Confesseur parti. Lulli se porta mieux, on le crut hors de danger. Un de ces jeunes Princes, qui aimoient Lulli et ses Ouvrages, vint le voir. Eh quoi, Baptiste, lui dit-il, tu as été jetter au feu ton Opéra? Morbleu, étois-tu fou d'en croire un Janséniste qui rêvoit, et de brûler de telle Musique? Paix, paix, Monseigneur, lui répondit Lulli à L'oreille, je sçavois bien ce que je faisois, j'en avois une seconde Copie.»*

Cette dernière facétie de Lully est-elle authentique? *«Se non e vero, e ben trovato»* : nous y reconnaissons l'homme des pirouettes, des saillies incongrues, des contrepèteries insolentes. Peut-être même n'avait-il pas de seconde copie; peut-être Lully n'avait-il en double que le premier acte d'*Achille et Polixène*, et ce sont les quatre autres actes qui ont brûlé; peut-être la plaisanterie n'était-elle que pour le plaisir du bon mot à l'oreille d'un prince. Ou peut-être pas. Ou peut-être tout cela n'a-t-il été dit et fait que pour justement nous ne sachions pas et que nous nous posions la question. Mais si l'on croit qu'une bouffonnerie sacrilège au seuil de la mort fut la dernière pirouette de Lully, qu'on se détrompe : il y en a encore une autre, en sens inverse bien entendu.

Lecerf de La Viéville continue : *«Les Italiens sont féconds et Sçavants en rafinement de pénitence, comme au reste. Il eut les transports d'un pénitent de son Païs. Il se fit mettre sur la cendre la corde au cou, il fit amende honorable; enfin marqua sa douleur de ses fautes, avec une édification qui doit vous rendre tranquille. Retourné dans son lit, pour couronner tout cela par une morale qui demeurât après lui, embellie à sa manière, et pour gage de ses derniers sentiments, il fit cet Air : Il faut mourir, pêcheur, il faut mourir».*

Je m'étonne qu'on n'ait jamais retrouvé cet air, que de fidèles mains, s'il avait existé, auraient pieusement conservé, et qui serait peut-être l'unique autographe d'un compositeur qui n'a pas laissé une ligne de musique écrite à la main.

Ce bouffon qui mystifiait son confesseur (sans prétendre d'ailleurs mystifier Dieu) et ensuite se couvrait de cendres, la corde au cou, pour faire amende honorable en public, comment a-t-il joué son dernier rôle? Car nous sommes bien, n'est-ce pas, au théâtre. Le grand théâtre baroque et italien, que Lully avait peu à peu tamisé et adouci à mesure qu'il se faisait à son pays d'adoption, le voilà qui remonte du fond de lui, qui s'épanouit à l'instant de la mort, tant il est vrai que c'est à ce moment que l'homme, quel qu'il soit, dit tout de lui-même, et d'abord ce qu'il croit avoir oublié. Mieux que jamais peut-être, à cause de l'intensité que lui donne l'instant suprême, voici paraître en Lully mourant, redevenant Lulli, Giambattista.

Philippe Beaussant,
Lully ou le musicien du soleil,
Gallimard /
Théâtre des Champs-Elysées,
1992

Les mises en scène contemporaines des «classiques»

Depuis près de trente ans, la période baroque (le «premier» XVIIe siècle) a bénéficié d'un regain d'intérêt. Elle est même devenue centrale, et c'est autour de la figure de Corneille que se sont concentrés les enjeux majeurs en matière de répertoire classique, avant même d'entraîner les auteurs baroques – Molière, puis Racine – dans son sillage.

Depuis les premiers festivals d'Avignon, et grâce à Vilar, les comédies de Corneille sont régulièrement revisitées alors que, parallèlement, la critique littéraire des années 1960-1970 insiste sur la première partie du XVIIe siècle et ce qu'elle appelle le «courant baroque» (Jean Rousset). Rompant enfin avec l'idée d'un siècle classique et compassé, les critiques universitaires et les metteurs en scène se complètent pour donner à voir le «jeune Corneille», celui qui met le doute, le jeu amoureux et l'ironie au service de son théâtre. Mais il y a une autre raison pour laquelle Corneille fait figure d'enjeu, c'est évidemment qu'il a été de plus en plus nettement considéré comme une sorte d'analyste des questions politiques relevant aussi bien du XVIIe siècle que du XXe.

Vilar l'avait déjà bien senti, dans les années 1950, mais peut-être autrement. Corneille était pour lui, à la différence de Racine, un moyen de faire du théâtre utile, populaire et politique. C'était un premier pas dans la relecture, un travail doublement militant, en quelque sorte, puisqu'il s'agissait à la fois de lutter contre une certaine idée du classicisme national et simultanément d'imprimer la marque d'une lecture populaire et sociale, capable d'entraîner l'adhésion d'un large public étonné de voir sur scène le contraire du héros scolaire et figé qu'on lui avait jusqu'alors imposé.

Le second pas fut plus lent et plus tardif, et se fit encore une fois au contact de la critique théâtrale : Corneille parlait de politique, certes, il présentait des héros, certainement, il se faisait le détenteur d'une éthique aristocratique résistant au pouvoir absolu, en effet, mais aussi il permettait de comprendre ce que peut être une résistance politique fondée sur des valeurs nobles, au sens large du terme, contre «le» Pouvoir. A son tour, cette deuxième lecture céda devant un examen plus approfondi des pièces et surtout de l'ensemble de la production tragique du grand auteur français. On commença à monter les pièces dites «mineures», celles dont Boileau avait écrit qu'elles étaient des échecs. on s'intéressa à *Attila*, à *Sertorius*, enfin à *Suréna*, et l'on vit que les héros au merveilleux ethos étaient livrés pieds et poings liés au machiavélisme, au jeu politique consommé, et à leurs propres contradictions. Brutalement, Corneille introduisait le doute politique, la réflexion complexe, le plaisir de l'ambiguïté au sein de ses pièces redécouvertes, et il fallut même relire *Cinna* et *Horace* sous cette sombre lumière. Encore une fois, ce furent, parmi d'autres, mais peut-être mieux que les autres, Villégier et Jaques qui s'en chargèrent pour exhumer la beauté du jeu politicien en pleine période mitterrandienne.

Le cas de Racine : Vitez et les autres

Dans cette relecture du classicisme, il y eut aussi bien sûr le cas de Racine. Depuis le travail de Jean-Louis Barrault en 1942, le théâtre racinien suppose qu'on le représente sous un triple aspect : la force, la poésie et la musicalité de la langue, l'historicisation, enfin l'érotisation, voire la cruauté du désir. Si, durant les vingt-cinq années qui suivirent le *Phèdre* de Barrault, Racine ne donna lieu qu'à fort peu de mises en scène notables dans la mesure où Jean Vilar, préférant Corneille, avait décrété qu'il était inactuel et que fort peu de contradicteurs allèrent croiser son fer, les représentations de la fin des années 1960 insistèrent sur la cruauté, la subversion politique et l'émergence de la sexualité.

Ce fut entre 1971 et 1981, sous l'impulsion d'Antoine Vitez, et à la suite de la querelle universitaire qui opposa les tenants de la Nouvelle Critique (Barthes en particulier) aux tenants de l'érudition (Picard), que les mises en scène du théâtre racinien renouvelèrent à la fois l'idée qu'on pouvait se faire du classicisme et celle qu'on pouvait avoir de l'auteur qui le symbolisait. Les mises en scène de Vitez ne sont pas, ou pas seulement, des mises en scène formelles : elles entendent dire quelque chose du monde représenté, montrer comment une époque, une société (le XVIIe siècle et dans une certaine mesure le XXe siècle) utilisent le mythe ou l'Histoire pour se dire. *Phèdre*, par exemple, représente un corps social à qui tout échappe parce que le pouvoir l'a rendu impuissant; si bien que ces personnages, que ce corps privilégié et châtré qui s'exprime sur scène, n'a pour toute arme que son langage et pour tout horizon que son désespoir infini.

Politique, fable et langue tragique sont ainsi noués, profondément, et Vitez peut alors poser, à travers Racine, à la fois la question de la convention en l'opposant à celle de la tradition, et la question du désir tel qu'elle peut paraître au théâtre. Pour lui, le théâtre de Racine est «notre nô français» puisqu'il exacerbe la forme du discours et sa poésie pour donner cette curieuse impression d'étrangeté qui surprend et interroge le spectateur, en même temps qu'il dévoile la terrible impuissance des personnages. Les comédiens parlent, chantent, proclament, déclament, disent, surimposent une rhétorique gestuelle à la prosodie pour créer, par un perpétuel effet de surprise, une distance formelle nécessaire à la pensée.

Dans cette évolution, le classicisme au théâtre est ainsi devenu l'exercice d'un corps et d'une voix, la manifestation d'une poétique, un art au service de la lettre du texte, en même temps que l'exposition d'une fable aux multiples sens. Des personnalités plus que des écoles ou des laboratoires, comme le veut notre temps, se succédèrent alors pour combiner l'exigence de la fable, la nécessité d'une déclamation poétique et l'idée d'une performance du corps. Dès lors il s'est agi de viser à la fois un premier but, qui consiste à mettre en espace une musicalité, une écriture, «le grattement de la plume de Racine sur le papier» – selon les indications que donnait Grüber aux comédiens durant les répétitions de *Bérénice* en 1984 –, et simultanément un second but, celui de rendre compte d'une histoire qui parle encore. Certains, comme Jacques Lassalle, intimidés par ce mythe de la langue racinienne, choisissent d'insister sur la fable et se plaignent finalement de ce que Racine explore bien mal les âmes et les ressorts psychologiques. D'autres, comme Anne Delbée, choisissant toujours la fable et la quête du sens, et comme encombrés par la langue, entendent représenter le désir en action, violent et supposé moderne, ou cherchent à donner une vague idée du Dieu caché en indiquant, par la scénographie, qu'une sorte de menace pèse sur la scène. Moriaki Watanabé, au Japon et en France, utilise les techniques du nô pour «étrangéifier» le texte, comme le disait Vitez, et montrer combien l'ostentation des conventions sert l'énonciation du texte et permet un décryptage inattendu de la fable. Eugène Green (*Mithridate* à la Chapelle de la Sorbonne en 1999), lui, suit un parcours tout différent puisqu'il s'appuie sur la diction, l'*actio* et la gestuelle baroques, qu'il reconstitue afin de donner du théâtre du XVIIe siècle tout entier une apparence d'«époque» où le phrasé, la déclamation, les postures sont censés correspondre à la retranscription d'un code précis et assez contraignant.

Ainsi, Racine est devenu un continent qu'on aborde avec appréhension, qu'on peut lire, mais qu'on redoute de jouer au point qu'on se demande s'il est nécessaire de le faire (Christian Rist). Enfin, et depuis longtemps, Daniel Mesguich explore Racine comme il explore le désir racinien, en mélangeant les genres, en jouant du drame, du mélodrame, du cinéma et de la parodie pour dire à quel point l'écriture racinienne peut être diffractée et toujours recomposée, autrement. Pour beaucoup, et principalement pour Mesguich, il est donc urgent de travailler sur la diction, sur la lettre, sur l'alexandrin, mais aussi sur l'expérience du corps, sur la violence et les larmes, pour faire entendre les vibrations du texte et de la voix. Des vibrations qui inquiètent, dévoilent et supposent que le monde ne cesse d'être déchiffré, sans l'espoir même d'y trouver un seul sens, unitaire et satisfaisant.

Les mises en scène de Molière et les plaisirs de l'exigence

Et durant tout ce temps on joue et l'on rejoue Molière, partout, de toutes les manières, sans qu'apparemment le public ne s'en lasse. Peut-être par confort, ou par pédagogie, mais peu importe, il passe encore la rampe. Molière est donc sans cesse relu, revisité depuis Vilar, Planchon et Vitez. Chaque saison apporte ainsi son lot de «molières» sans qu'on puisse déterminer une unité, ou même des écoles. Il y a donc des manières, spécifiques aux metteurs en scène. Molière-*commedia dell'arte* (Dario Fo), Molière-farcesque (Savary, J. Deschamps, le Footsbarn), Molière-grave (Lassalle, Vincent), Molière-philosophe (Jaques), Molière-musical (Villégier-Christie), Molière-politique (Planchon, Vincent, Mnouchkine, Villégier...), etc.

Molière figure d'abord l'image du théâtre contemporain, dans sa complexité et son morcellement, avec deux pôles : celui de la théâtralité «pure» et de la performance (le farcesque et la gestuelle) et celui de l'exigence du sens (la portée philosophique, l'historicité, l'impact politique). Mais déjà, bien des mises en scène montrent qu'il est possible et même nécessaire de lier ces deux pôles dans une même pratique. Et si bien peu entendent encore jouer la farce gratuite et souvent racoleuse, comme à Chaillot, la majorité des metteurs en scène se rend tout à fait compte que Molière, comme Shakespeare, demande qu'on dépasse l'idée de pure théâtralité ou de divertissement pur, pour se mettre en quête d'une multiplicité de sens.

La question est, à partir de là, de savoir s'il est possible d'admettre toutes les interprétations et d'apprécier consécutivement, par exemple durant la saison 1998-1999, des leçons radicalement différentes : un *Misanthrope* bien proche d'Ibsen ou de Strindberg, monté par Jacques Lassalle, et dans lequel Célimène est torturée par son amour impossible; un *Dom Juan* résolument comique et grotesque, avec le Footsbarn Theatre, aux limites du style de la création collective et s'inspirant d'une mise en scène farcesque de Caubère, mais veillant néanmoins à relever l'aspect provocateur du libertinage érudit de Molière; un *Tartuffe* mis en scène par Villégier à Versailles, en costumes des années 1940, posant la question du rapport au pouvoir et de la résistance à l'hypocrisie, en général, sans oublier de souligner que cette question est aussi celle du XVIIe siècle et de toute époque soumise à un pouvoir absolu; un autre *Tartuffe* monté par Jean-Pierre Vincent oscillant entre l'abstraction, l'historicisation et visant principalement à donner une leçon de politique contemporaine, puisqu'il s'agit, à travers le XVIIe siècle, d'abstraire le concept d'hypocrisie et d'illustrer un pur rapport de force intra-familial révélant une violence sociale, pour enfin dénoncer toute hypocrisie politique qu'elle soit passée ou présente, quitte à prendre le parti du raisonneur vertueux; enfin un *Dom Juan* philosophique et pleinement théâtral, produit par Brigitte Jaques à Genève, qui s'interroge clairement sur le scandale et la valeur du matérialisme, et sur les rapports qu'entretient l'art avec la matière.

Le Bourgeois Gentilhomme, mis en scène par Jérôme Savary (1989).

Il est donc clair que Molière contient du sens, quelles que soient ses pièces, un ou plusieurs sens, mais toujours en prise avec des questions éminemment modernes : celle du matérialisme, du réalisme en politique, et du rôle que se donne le divertissement théâtral dans la cité.

C. B.

BIBLIOGRAPHIE

Sur l'âge classique

- Adam, A., *Histoire de la littérature française au XVIIe siècle*, Domat Monchrestien, 1956.
- Beaussant, P., *Lully ou le musicien du soleil,* Gallimard / Théâtre des Champs-Elysées, 1992.
- Biet, Ch., *Racine ou la passion des larmes*, Hachette Supérieur, 1996.
- Biet, Ch., *La Tragédie*, Armand Colin, «Cursus», 1997.
- Blanc, André, *Lire le classicisme*, Dunod, 1995.
- Bluche, F., *Dictionnaire du Grand Siècle*, Fayard, 1988.
- Bray, R., *La Formation de la doctrine classique*, Nizet, 1963.
- Canova, M.-C., *La Comédie*, Hachette, 1993.
- Chandernagor, F., *L'Allée du Roi-Soleil*, Presses-Pocket, 1984.
- Coulet, H., *Le Roman jusqu'à la Révolution*, Armand Colin, 1967.
- Couprie, *Lire la tragédie*, Dunod, 1990.
- Dandrey, P., *Molière ou l'esthétique du ridicule*, Klincksieck, 1992
- Delmas, Ch., *La Tragédie*, Le Seuil, 1994.
- Demoris, R., *Le Roman à la première personne*, Armand Colin, 1975.
- Dessert, *Fouquet*, Fayard, 1987.
- Forestier, G., *Le Théâtre dans le théâtre sur la scène française au XVIIe siècle*, Genève, Droz, 1981.
- Fragonard, M.-M., *La Plume et l'Epée*, Gallimard, «Découvertes», n° 74, 1989.
- Goubert, B. P., Roche, D., *Les Français et l'Ancien Régime*, Armand Colin, 1984.
- Guichemerre, R., *La Comédie avant Molière (1640-1660)*, Armand Colin, 1972.
- Guichemerre, R., *La Comédie classique*, PUF, «Que sais-je?», 1978.
- Hazard, P., *La Crise de la consience européenne*, Fayard, 1961.
- Jomaron, J. de (sous la direction de), *Le Théâtre en France*, Armand Colin, 1992.
- Landry, J.-P., Morin, I., *La Littérature française du XVIIe siècle*, Armand Colin, «Cursus», 1993.
- Morand, P., *Fouquet*, Gallimard, 1985.
- Morel, J., *La Tragédie*, Armand Colin, 1966.
- Regnault, Fr., *La Doctrine inouïe, dix leçons sur le théâtre classique français*, Hatier, 1996.
- Rohou, *Panorama de la littérature française. Le Classicisme*, Hachette Supérieur, 1996.
- Scherer, J., *La Dramaturgie classique en France*, Nizet, 1986.
- Tavernaux, R., *Le Catholicisme dans la France classique*, Sedes, 1980.
- Tournand, J.-C., *La Vie littéraire du XVIe siècle*, Bordas, 1970.
- Truchet, J., *La Tragédie classique en France*, PUF, 1975.
- Viala, A., *La Naissance de l'écrivain*, Editions de Minuit, 1984.
- Voltz, P., *La Comédie*, Armand Colin, 1964.
- Zuber, R., Cuénin, M., *Littérature française, 4. Le Classicisme*, Arthaud, 1984.
- Zuber, R., Picciola, L., Lopez, D., Bury, E., *Littérature française du XVIIe siècle,* PUF, 1992.

Sur les auteurs et les œuvres

- Barrault, J.-L., *Mises en scène de Phèdre*, «Points Seuil», 1986.
- Barthes, R., *Sur Racine*, Le Seuil, 1963.
- Bray, R., *Molière, homme de théâtre*, Mercure de France, 1963.
- Doubrowsky, S., *Corneille et la dialectique du héros*, Gallimard, 1982.
- Duchesne, R., *Mme de La Fayette : la romancière aux cent bras*, Fayard, 1988.
- Goldmann, L., *Le Dieu caché*, Gallimard, 1976.
- Guicharnaud, J., *Molière, une aventure théâtrale*, Gallimard, 1963.
- Labrousse, E., Bayle, P., *Hétérodoxie et rigorisme*, La Haye, Martinus Nijhoff, 1964.
- Laugaa, M., *Lectures de Mme de La Fayette*, Armand Colin, 1971.
- Le Guern, M. et M.-R., *Les Pensées de Pascal*, Larousse, 1972.
- Niderst, A., *Fontenelle à la recherche de lui-même*, Nizet, 1972.
- Picard, R., *La Carrière de Jean Racine*, Gallimard, 1961.
- Prigent, M., *Le Héros et l'Etat dans la tragédie de Corneille*, PUF, 1986.
- Stegmann, A., *L'Héroïsme cornélien*, Armand Colin, 1968.
- Truchet, J., *La Prédication de Bossuet, étude des thèmes*, Editions du Cerf, 1960.

FILMOGRAPHIE

- Sacha Guitry, *Si Versailles m'était conté*, 1953.
- Roberto Rossellini, *La Prise du pouvoir par Louis XIV*, 1966.
- Pierre Jourdan, *Phèdre*, 1968.
- Ariane Mnouchkine, *Molière*, 1977.
- Raoul Ruiz, *Bérénice*, 1983.
- Henri Decoin, *L'Affaire des poisons*, 1985.
- Patrice Leconte, *Ridicule*, 1996.
- Roland Joffé, *Vatel*, 2000.
- Patricia Mazuy, *Saint-Cyr*, 2000.
- Gérard Corbiau, *Le roi danse*, 2000.

TABLE DES ILLUSTRATIONS

COUVERTURE

OUVERTURE

CHAPITRE 1

gravure de P. de Rochefort. BnF.
37 «La Pompe du convoy de Mademoyselle de Montpensier», gravure. BnF.
38 *Jacques-Bénigne Bossuet*, peinture de H. Rigaud. Musée du Louvre, Paris.
39 *Louis XIV en empereur romain*, in *Les Campagnes de Louis XIV, après 1678*. Département des Manuscrits, BnF.

CHAPITRE II

40 Frontispice de *Plaisirs de l'Isle enchantée, à Versailles, le 6 may 1664*, relation manuscrite par De Bizincourt. Département des Manuscrits, BnF.
41 *Louis XIV*, gouache de J. Werner. Musée national du château de Versailles.
42h *Les Plaisirs de l'Isle enchantée*, lavis, *op. cit.*
42b Projet d'éventail pour le roi, 1692. BnF.
43 *Les Plaisirs de l'Isle enchantée*, lavis, *op. cit.*
43b Buffet à Versailles, 1668. BnF.
44-45 *Promenade de Louis XIV sur la terrasse du parterre nord de Versailles* (détail), peinture d'Etienne Allegrain. Musée national du château de Versailles.
45 *La Reine Marie-Thérèse*, gouache de J. Werner. *Idem.*
47g Portrait de Philippe de France, duc d'Orléans, frère de Louis XIV. *Idem.*
47d Le Grand Dauphin enfant. *Idem.*
48-49 *Chasse royale à Vincennes* (détail, Louis XIV et Marie Thérèse au premier plan), peinture de Van der Meulen. Musée Carnavalet, Paris.
49h *Louise de La Vallière*, peinture de Jean Nocret, 1663. Musée national du château de Versailles.
49b *Madame de Montespan*, peinture anonyme, XVIIe s. *Idem.*
50-51 L'Académie des sciences et des beaux-arts, gravure de Sébastien Le Clerc. BnF.
52h Classe de dessin, gravure de Le Pautre. BnF.
52-53 *Etablissement de l'Académie des sciences et fondation de l'Observatoire*, peinture de l'école de Le Brun. Musée national du château de Versilles.
52 *Charles Le Brun, premier peintre du roi*, peinture de Nicolas de Largillière. Musée du Louvre, Paris.
54-55 *Vue perspective du château et des jardins de Versailles, prise de la place d'armes en 1668*, peinture de Pierre Patel. Musée national du château de Versailles.
56 *Vue du bosquet de l'arc de triomphe dans les jardins de Versailles*, peinture de Jean Cotelle, 1688. *Idem.*
57 L'Entrée du labyrinthe dans les jardins de Versailles. *Idem.*
58-59 *Le Basssin d'Apollon à Versailles*, peinture anonyme, XVIIe s. *Idem.*
60h Louis XIV en soleil, costume du ballet *La Nuit*. BnF.
60-61 Décor du ballet *Atys*, dessin de F. Chauveau, in *Album des menus plaisirs du Roi*. Archives nationales, Paris.
61h Lully, gravure. BnF.
61 Acrobate, dessin de costume de Jean Berain. Coll. Rothschild, Musée du Louvre, Paris.
63b Dessins de costume maure. *Idem.*
63h Costumes pour le ballet des éléments, dessins de Gillot. Cabinet des Dessins, Musée du Louvre, Paris.
64h Ordonnance du 16 août 1684. Bnf.
64b Renaud. Bnf.
65h Armide. BnF.
65b Frontispice de *Acis et Galatée*. BnF.
66-67 Gravure de Landry, *in* Boileau, *Œuvres diverses*, 1674. BnF.
67 Pierre Corneille, gravure, 1663. BnF.
68-69 Cinq frontispices des *Œuvres complètes* de Molière, édition de 1862, gravure de P. Brissart. BnF.
70-71 *Farceurs français et italiens*, peinture anonyme, XVIIe s. Comédie-Française, Paris.
72 *La Béjart, rôle de Madelon des «Précieuses»*, peinture de Kugel. BnF.
73h Poquelin, rôle de Mascarille. BnF.
73b *Molière en saint Jean-Baptiste*, peinture anonyme, XVIIe s. Musée de Pézenas.
74 Frontispice de *L'Ecole des femmes*, édition de 1653, gravure de F. Chauveau. BnF.
74-75 «L'Imposteur ou le Tarfuffe», gravure de N. Arnoult. BnF.
76-77 «La Charmante Tabagie», gravure de N. Arnoult. BnF.
78-79 «Représentation par Molière du *Malade imaginaire* en 1674, à Versailles», gravure de Le Pautre. Musée national du château de Versailles.

CHAPITRE III

80 *Les Heures de Louis le Grand faites dans l'Hostel royal des Invalides*, peinture, 1688. Département des Manuscrits, BnF.
81 Illustrations d'*Athalie* (détail), édition de 1691. BnF.
82 *Portrait de Jean Racine*, peinture anonyme, XVIIe s. Musée national du château de Versailles.
83 Frontispice de *Phèdre et Hippolyte* de Racine, édition de 1678. Bibliothèque de l'Arsenal, Paris.
84-85 *La Famille de Louis XIV en 1670 représentée en travestis mythologiques*, peinture de Jean Nocret. Musée national du château de Versailles.
86 Deux frontispices

CHAPITRE IV

TÉMOIGNAGES ET DOCUMENTS

INDEX

A

B

C

CRÉDITS PHOTOGRAPHIQUES

Archives Gallimard 159. Archives Gallimard Jeunesse 150, 153, 155, 156, 161. Bibliothèque municipale de Versailles 1, 2, 3, 4-5. Bibliothèque nationale de France, Paris 1er plat de couv., dos, 11, 14-15b, 18b, 23, 34, 36, 37, 39, 40, 42h, 42b, 43, 43d, 50-51, 52h, 60h, 61h, 64, 65, 66-67, 67, 68-69, 74, 74-75, 76-77, 80, 81, 86, 86-87, 90, 92, 93, 94h, 94b, 95h, 95b, 96, 98-99h, 102, 103, 108, 109, 111, 112-113, 114, 114-115, 118, 120-121h, 120-121b, 122-123, 123h, 124h, 126, 130, 137, 140h, 140bg, 140bd-141b, 141h, 145, 149. Bulloz 83, 103. J.-L. Charmet, Paris 60-61, 87h. Dagli Orti, Paris 29h, 29b, 31h. Giraudon, Paris 1er plat de couv., 24, 25, 70-71, 100-101, 108. Lauros/Giraudon, Paris, 14h, 52-53, 72, 73h, 73b, 91, 130-131, 132. Hubert Josse, Paris 15h, 32, 48-49, 58-59, 101, 104-105h, 104-105b, 106-107h, 106-107b, 116-117, 126-127, 129, 138-139. Pierre Pitrou, Paris 20-21, 133. Réunion des Musées Nationaux, Paris 1er plat de couv., dos, 6-7, 9, 10, 12-13, 16, 17h, 18h, 19, 28h, 28b, 30, 31, 32, 33, 33h, 33b, 35, 38, 41, 44-45, 46, 47g, 47d, 49h, 49b, 52, 54-55, 56, 57, 62, 63h, 63b, 78-79, 82, 84-85, 97, 99b, 100, 110, 119, 124b, 125, 128, 134-135, 135h, 136-137, 142-143, 143, 144. Roger Viollet, Paris 167.

REMERCIEMENTS

Christian Biet remercie pour leur aide et les renseignements précieux qu'ils lui ont apportés : Jean Goldzinc, Gérard Gengembre, Patrick Dandrey, Georges Forestier, Dominique Moncond'huy, Jean-Luc Rispail, Jean-Paul Brighelli.

ÉDITION ET FABRICATION

DÉCOUVERTES GALLIMARD
COLLECTION CONÇUE PAR Pierre Marchand.
DIRECTION Élisabeth de Farcy.
COORDINATION ÉDITORIALE Anne Lemaire.
GRAPHISME Alain Gouessant.
FABRICATION Corinne Chopplet.
PROMOTION & PRESSE Valérie Tolstoï assistée de Doris Audoux.
SUIVI DE PRODUCTION Madeleine Gonçalves.

LES MIROIRS DU SOLEIL. LE ROI LOUIS XIV ET SES ARTISTES
ÉDITION Odile Zimmermann (corpus) et Élisabeth Le Meur (Témoignages et documents).
MAQUETTE Corinne Leveuf et Élisabeth Cohat (corpus), Hélène Arnaud (Témoignages et documents)
ICONOGRAPHIE Pierre Pitrou.
LECTURE-CORRECTION Catherine Lévine et Jocelyne Marziou.
PHOTOGRAVURE Arc-en-Ciel.

Christian Biet est professeur d'histoire et d'esthétique du théâtre à l'université Paris X-Nanterre. Il a participé à l'élaboration de biographies (dans cette même collection, «Découvertes Gallimard»), en collaboration avec J.-P. Brighelli et J.-L. Rispail. Il est aussi l'auteur de nombreux ouvrages et articles sur le XVIIe siècle et sur le théâtre, dont l'édition du *Cabinet de Monsieur de Scudéry*, en collaboration avec Dominique Moncond'huy (Klincksieck, 1991); *Œdipe en monarchie, tragédie et théorie juridique à l'âge classique* (Klincksieck, 1994); *Racine ou la passion des larmes* (Hachette, 1996); *La Tragédie* («Cursus», Armand Colin, 1997); *Henri IV, vie et légende* (Larousse, 2000). Il a dernièrement dirigé le n° 207 de la revue *XVIIe siècle* sur le thème «L'Indicible et la Vacuité au XVIIe siècle» (avril-juin 2000) et le n° 40 de la revue *Littératures classiques*, «Droit et littérature» (septembre 2000).

Dépôt légal : novembre 2000
1er dépôt légal : mai 1989
Numéro d'édition : 97267
ISBN : 2-07-053529-0
Imprimerie Kapp Lahure Jombart, à Evreux.